Geração de Valor

1

FLÁVIO AUGUSTO DA SILVA

Geração de Valor 1

COMPARTILHANDO
INSPIRAÇÃO

Copyright © 2014 por Flávio Augusto da Silva

Todos os direitos reservados. Nenhuma parte deste livro pode ser utilizada ou reproduzida sob quaisquer meios existentes sem autorização por escrito dos editores.

edição: Anderson Cavalcante
coordenação editorial: Virginie Leite
revisão: Hermínia Totti e Juliana Souza
capa, projeto gráfico, diagramação e ilustrações: Pater

imagens de miolo: Shutterstock: p. 14, 15, 48 – Jamesbin; p. 38 – Zacarias Pereira da Mata; p. 39 – ostill; p. 64 – Sergey Nivens; p. 70 e 71 – Viorel Sima, Rido e hxdyl; p. 76 – cla78; p. 56 – Ramon Espelt Photography; p. 57 – WWWoronin; p. 90 – ONiONAstudio; p. 91 – yevgeniy11 e Eric Isselee; p. 93 e 181 – Roman Sigaev; p. 94 e 95 – F. Jimenez Meca; p. 104 – Sarah2; p. 106 – Akita e Birgit Reitz-Hofmann; p. 110 e 111 – Ramon Espelt Photography e kurhan; p. 120 e 121 – Ezepov Dmitry; p. 115 – Denis Barbulat; p. 130, 131 e 133 – Kudryashka; p. 142 e 145 – Aleks Melnik; p. 158 e 159 – Alexander Mak; p. 171 e 205 – advent; p. 174 – maxim ibragimov; p. 180 – Roman Sigaev e JacoBecker; p. 183 – razihusin; p. 204 – denk creative; p. 192 e 193 – Sunny studio.

Impressão: Santa Marta
Imagens da luva: Shutterstock: Winai Tepsuttinun e NorGal
Reimpressão, março 2022

Dados Internacionais de Catalogação na Publicação (CIP) de acordo com ISBD

S586g Silva, Flávio Augusto da
     Geração de valor: compartilhando Inspiração / Flávio Augusto da Silva. - 2. ed.
        São Paulo : Buzz, 2019.

     208 p. ; 16cm x 23cm.

     ISBN: 978-65-80435-35-7

     1. Autoajuda. 2. Inspiração. I. Título.
2019-2283   CDD 158.1
                         CDU 159.947

Elaborado por Vagner Rodolfo da Silva - CRB-8/9410
Índice para catálogo sistemático:
Autoajuda 158.1
Autoajuda 159.947

Todos os direitos reservados à:
Buzz Editora Ltda.
Avenida Paulista, 726, Mezanino
Cep. 01310-100 São Paulo - SP

[55 11] 4301-6421
contato@buzzeditora.com.br
www.buzzeditora.com.br

Dedico este livro a todos os GVs, forma carinhosa que uso para chamar os seguidores do Geração de Valor nas redes sociais. Todos os dias eles depositam sua confiança no trabalho que exerço com enorme carinho.

APRESENTAÇÃO

Foi durante o outono de 2011 que decidi colocar em prática algo que há muito pulsava dentro de mim. Nessa ocasião, eu era presidente do Ometz, um grande grupo empresarial com quase 10 mil funcionários, que fundei em 1995, quando ainda tinha 23 anos. Casado há 19 anos com minha primeira namorada, também estava realizado no campo pessoal.

Mas o início da minha vida foi muito difícil. Vindo de uma família simples da periferia do Rio de Janeiro, tive que batalhar muito. Valeu a pena. Com menos de 40 anos, conquistei grande prestígio por ter criado o Wise Up, uma marca relevante no setor de ensino de línguas no Brasil. Para expandir minha empresa, fui morar nos Estados Unidos.

Porém, eu não estava satisfeito por completo, pois vinha represando uma vontade de ajudar as pessoas que quisessem crescer na vida. Assim, decidi colocar para fora tudo aquilo que sempre acreditei que tinha me ajudado a sair do zero, ou melhor, do negativo, e me transformado em um dos mais jovens bilionários brasileiros. Em 2014, fui apontado, numa pesquisa realizada com mais de 52 mil jovens ao redor do Brasil, o quarto líder mais admirado do país.

Mas, afinal, o que é que pulsava com insistência em meu coração? Era comum eu dormir e acordar com aquela sensação de incômodo e questionamento. Sempre fui muito feliz: trabalhava, construía e conquistava, mas a sensação não só permanecia como ficava cada vez mais forte, como se estivesse me chamando para uma responsabilidade maior.

EU SEMPRE ME PERGUNTAVA: "QUAL É A MINHA MISSÃO NESTA BREVE EXISTÊNCIA NA TERRA?"

Acreditava que a resposta definitiva para essa pergunta era tudo o que eu tinha alcançado. No entanto, logo depois de galgar novos degraus, percebia que minha conquista não passava de mais uma dentre aquelas que me habituara a ter. Nem por isso deixei de valorizá-las e de desfrutá-las com a família, mas parecia muito pouco.

O que mais me fascinou durante os 18 anos em que estive à frente do grupo de empresas que fundei, vendido em 2013 numa das maiores transações do setor de educação no Brasil, foi o tratamento dado ao ser humano. Compreender seus desafios, suas fraquezas, suas ambiguidades, seus traumas e complexos, aliados a suas ambições e aspirações mais secretas, foi a matéria-prima necessária para que eu me tornasse capaz de liderar executivos do mais alto nível e de formar empreendedores que fariam parte de nossa rede de escolas através do sistema de franquias.

A partir do momento que percebi que queria algo mais, ficou claro que um novo capítulo de minha missão estava nascendo. Dessa vez, pessoas do mundo inteiro, de todas as idades, poderiam ter acesso a um conjunto de conhecimentos que eu havia desenvolvido e testado, produzindo resultados e transformações significativos em minha vida.

Tudo começou com o YouTube, no qual eu criei o canal Geração de Valor. Entre viagens e reuniões que ocupavam minha agenda, eu sempre encontrava tempo para gravar um vídeo e compartilhá-lo. O foco era produzir conteúdos que levassem os leitores a questionar o mundo, além de encorajá-los em seus objetivos, desafiá-los a evoluir e desmontar falsos conceitos que circulam livres pela mente coletiva e limitam o desenvolvimento dos que sonham com uma vida melhor.

Gravei 15 vídeos nos mais diversos lugares do mundo, como França, China, Estados Unidos, Argentina, Colômbia e Brasil, dentro de quartos de hotel ou do jatinho particular. Enfim, por onde eu passava, aproveitava a inspiração para oferecer um conteúdo que suscitasse alguma reflexão. Esses vídeos foram assistidos por mais de 10 milhões de pessoas, e fiquei muito satisfeito por ter tido a chance de colaborar com cada uma delas.

Ter tempo disponível para produzir vídeos se tornou um desafio maior, então o Twitter e o Facebook passaram a ser mais viáveis. O Facebook é a plataforma que eu mais tenho utilizado nos últimos três anos. Nele me dedico a escrever todos os dias e a interagir com os GVs, forma carinhosa que uso para me referir aos meus seguidores. Com mais de 2,3 milhões de fãs na página, a média de alcance, ou seja, o número de pessoas que leem o conteúdo que produzo, segundo as ferramentas de estatísticas do Facebook, alcançou o patamar de 10 milhões de pessoas por semana.

Tem sido gratificante poder compartilhar e colaborar com essa nova geração. Recebo incontáveis mensagens todos os dias agradecendo pela minha iniciativa e me sinto recompensado demais por ela. Por meio de mensagens no Facebook e de todas as abordagens em shoppings, restaurantes e aeroportos Brasil afora e até no exterior, recebo o carinho das pessoas que encontraram uma forma de apoio, orientação ou encorajamento no conteúdo do Geração de Valor.

Este livro procurou materializar o que antes vagava pelo ambiente virtual através dos labirintos da tecnologia, ganhando forma nestas páginas que farão companhia a você. Não me prendo a estilo ou qualquer modelo estabelecido. Meu único compromisso é levá-lo a questionar padrões, rever comportamentos e encorajá-lo a tirar seus projetos do papel. Passei por todas essas etapas em minha trajetória e ajudei muitos empreendedores a fazerem o mesmo. Desde que você começou a ler esta obra, me tornei seu colaborador e também passei a fazer parte da sua história – e me sinto extremamente privilegiado por isso.

Estava preso, LEU um livro E livrou-se.

Este livro é seu, por isso escreva nele sem medo e deixe-o com a sua cara. Mas é importante que saiba que a seleção de textos, charges e frases que encontrará aqui foi feita para motivar você a realizar seu projeto de vida, seja ele qual for.

Antes de tudo, pare um pouco para pensar nos seus objetivos e também nas desculpas que usou até hoje para não ir atrás dos seus sonhos.

Quando chegar ao fim deste livro, volte ao começo e releia, na página ao lado, o que escreveu sobre sua causa, seus valores e interesses e seu projeto de vida. Fique à vontade para rabiscar ou até mesmo alterar o que quiser. Afinal, este livro é seu. Espero que esta leitura contribua para abrir sua mente para novas ideias e formas de pensar.

MEU PERFIL GV

Nome:
Minha causa:
Meus valores:
Meus interesses:
Minhas desculpas:

Meu projeto

O QUE EU FARIA SE TIVESSE 18 ANOS

Um GV me perguntou recentemente: "Flávio, se tivesse a minha idade (18 anos), com seu conhecimento e sua experiência, o que você faria?"

RESPONDI:
1. JAMAIS TERIA UM EMPREGO.

2. Venderia algum produto. Qualquer um: picolé, bala, bombom, relógio, pão, etc. Escolheria o produto com o qual mais me identifico e estudaria tudo sobre ele.
3. Jamais me envolveria com pirâmides.
4. Numa segunda fase, depois de conquistar um pouquinho de capital, criaria modelos recorrentes de venda desse produto, tipo um serviço de entrega de pães todas as manhãs com consumidores associados. Me dedicaria a vender esse plano. Tudo sem muito capital, mas que me permitisse começar pequeno e sonhar grande e com escala. **5.** Viveria com não mais do que 50% do que ganhasse para ampliar meu capital de giro. **6.** Me dedicaria a estudar todas as fases do processo a fim de começar a fabricar meu próprio produto e investiria em minha própria marca. **7.** Ampliaria meu mix de produtos. **8.** Criaria canais de distribuição alternativos, por exemplo, franquias, on-line, venda direta, B2B, etc. **9.** No auge, venderia a companhia para um fundo, banco ou concorrente, embolsando uma enorme liquidez. **10.** Com 5% do capital conquistado, começaria tudo de novo, e aplicaria os 95% em investimentos conservadores em moeda estrangeira.

Rabisque para curtir

SABE QUAIS SÃO OS **PROBLEMAS** MAIS FREQUENTES?

1. O SISTEMA DE ENSINO CONVENCIONAL NÃO PREPARA PARA NADA DISSO.

2. A sociedade discrimina os que começam esse tipo de jornada, mas bajula os que chegam ao final dela. **3.** As pessoas têm medo de sair do quadrado. **4.** Você raramente terá apoio se disser que não quer mais seguir a boiada. **5.** Capital é bom, mas é possível conquistá-lo vendendo. **6.** Pessoas convencionais têm preconceito com vendas. **7.** Muitos, ao conseguir seu primeiro sucesso, querem logo comprar um carro zero como sinal de status e, em vez de ampliar seu capital de giro, aumentam suas dívidas. **8.** Outros ficam apegados e por isso perdem o timing para vender seu negócio. **9.** Lucro não é pecado e sonhar não é para alienados. **10.** Você vai atrair interesseiros. Saiba quem é quem nesse game.

O mais legal é que muitos desavisados quando leem isso acham que é tudo teoria e logo abrem o bocão para dizer: "Falar é fácil, mas na prática não é tão simples assim." Bem, nos últimos 20 anos, fundei uma dezena de empresas. Comecei a vida vendendo relógios do Paraguai e, em seguida, vendi curso de inglês. Hoje, vendo empresas.

Não, não é nada simples, mas de uma coisa eu tenho certeza: se eu tivesse 18 anos com o conhecimento que tenho hoje, não seguiria a boiada nem o modelinho convencional para o qual a grande multidão é diariamente treinada nas escolas e universidades.

FICOU INSPIRADO?
INSIGHT

Se alguém disser que é fácil
é mentira, mas se alguém disser
que é impossível é porque já
perdeu a fé e está morto ou porque
é um sabotador de sonhos.

ACREDITE NOS SEUS PROJETOS.

Não tenha vergonha de dizer que acredita no futuro, que deseja trabalhar muito para vencer, que sonha construir uma família, que é fiel em seu relacionamento e que tem fé no Brasil apesar de todos os problemas.

Não tenha vergonha de dizer que é uma pessoa de palavra, que devolve o dinheiro a mais que lhe deram de troco, que não sonega impostos e que acredita no ser humano apesar de algumas decepções já vividas.

Não tenha vergonha de dizer que está bastante entusiasmado com os seus projetos, que tem certeza de que pode fazer a diferença, contribuir com a mudança do mundo, melhorar a vida de muitas pessoas e deixar um legado para as próximas gerações.

A MINHO CERTO

Por incrível que pareça, com a crescente inversão de valores desta sociedade hipócrita, todos esses atributos nobres acabaram se tornando ultrapassados, cafonas e piegas.

Os que têm coragem de assumir publicamente esse estilo de vida em geral são alvo de risadas, chacotas, e até tachados de bitolados, iludidos e bobalhões, já que os descolados de plantão costumam ter um comportamento bem diferente.

Se você costuma ser alvo dessas críticas, parabéns! É sinal de que está no caminho certo. Prepare-se para, daqui a alguns anos, receber em seu escritório alguns desses descolados que, com um sorrisinho amarelo nos lábios, vão lhe pedir emprego...

INSIGHT

Nunca é tarde pra começar.

7 HÁBITOS MAIS FREQUENTES DOS PERDEDORES

(SE VOCÊ GOSTA DE CONSELHOS FOFINHOS, NÃO LEIA ESTE TEXTO)

1. Reclamam quando é segunda-feira e torcem para chegar logo a sexta-feira

Os perdedores odeiam trabalhar. Tudo na vida deles se resume à busca de um novo parceiro para uma aventura sexual num fim de semana. Por isso, a balada é sagrada, e é assim, de noite em noite, que eles levam a vida.

2. Não gostam de assumir compromissos de espécie alguma

Os perdedores são aficionados pela, ainda que falsa, sensação de independência. Entregar-se a um relacionamento, comprometer-se no trabalho e lutar por uma meta, sacrificando-se em prol de um objetivo maior, faz com que se sintam escravizados.

3. Suas decisões são influenciadas muito mais pelo medo de perder do que pela vontade de ganhar

Diante do medo natural que todos nós sentimos, os perdedores, em vez de enfrentá-lo, se acovardam. Resultado: não se frustram de imediato, porém não conquistam nada. A longo prazo sentem-se vítimas do sistema ou acham que não tiveram oportunidades.

4. Desistem diante das primeiras dificuldades	Os perdedores são especialistas em manipular a si mesmos, criando teses convincentes para desistirem de seus objetivos. Tudo isso para fugir das dificuldades. Uma de suas teses preferidas é: "Não me sinto feliz fazendo isso." Toda atividade profissional que promove crescimento é desafiadora. E os desafios geram desconforto. Diante disso, os perdedores usam suas teses para correr dos desafios. Resultado: não crescem.
5. Como não realizam nada, a única coisa que lhes resta é o hábito da autoafirmação	Perdedores são orgulhosos, falam e defendem suas convicções sem nenhuma autoridade, e na hora H fogem da raia. Não é pouco comum vê-los se autoafirmando quanto às suas grandes habilidades e competências que nunca colocam em prática.
6. São reféns de seus sentimentos	Os sentimentos, quando não são gerenciados, passam a controlar nossa vida. O desenvolvimento da inteligência emocional faz com que dominemos essas demandas para fazer as melhores escolhas. Os perdedores são jogados de um lado para outro por seus sentimentos. Uma de suas frases preferidas é: "Por ser autêntico, não controlo o que está em meu coração."
7. Acreditam que dependem da sorte para vencer	Acreditar que é preciso sorte para vencer é uma das maiores anestesias para a consciência de um perdedor. Quem cultiva hábitos de perdedor,

consequentemente, jamais poderá colher os resultados de um vencedor. Nesse caso, é mais confortante sentir-se sem sorte ou azarado, pois alivia a dor e desenvolve um sentimento de autopiedade típico dos perdedores. Quando ouvem de alguém que seus resultados são fruto de suas próprias escolhas, sua resposta preferida é: "Não é bem assim." A propósito, os perdedores são especialistas na relativização do absoluto ao mesmo tempo que generalizam o relativo.

Qualquer um de nós pode desenvolver esses hábitos por influência de amigos, da família ou por nossas próprias fraquezas. O problema é que, uma vez desenvolvidos, esses hábitos funcionam como uma espécie de vírus de computador, atuando silenciosamente no "sistema operacional" do cérebro, influenciando nosso comportamento, nossas decisões, ações e reações. Nessa hipótese, não será por acaso que teremos fracassos como consequência.

Previna-se!

Coloque um preservativo em seu cérebro contra o vírus mortal da mediocridade. Ele pode tirar sua imunidade, matar seus sonhos e fazer você definhar até ficar apagado e sem forças para lutar.

INSIGHT

OS 10 MANDAMENTOS DOS PERDEDORES

1. Mais vale um pássaro na mão do que dois voando. **2.** Pau que nasce torto morre torto. **3.** Eu nasci assim, eu cresci assim, vou ser sempre assim... **4.** Deixa a vida me levar... **5.** Curta a vida agora. Amanhã não existe. **6.** Melhor pingar do que secar. **7.** Acredite que só vence na vida quem se envolve em coisas erradas. **8.** Acredite que só vence na vida quem abandona a família. **9.** Não se arrependa por nada que tenha feito, mas somente pelo que tenha deixado de fazer. **10.** Primeiro eu, segundo eu e, terceiro, eu de novo.

SIGA ESSES MANDAMENTOS À RISCA E GARANTA UMA VIDA COM RESULTADOS **MUITO** ABAIXO DE SEU POTENCIAL.

O medo
- de perder sufoca o desejo de ganhar.
- de ser vaiado esconde grandes talentos.
- de ser rejeitado nos transforma em pessoas que não reconhecemos diante do espelho.
- de errar faz grandes oportunidades serem desperdiçadas.
- do compromisso cria uma geração de Peter Pans.
- do risco enterra potenciais empreendedores.
- de ficar sozinho atrai oportunistas.
- de ter medo já pode ser um sintoma de síndrome do pânico.

ENFRENTE SEUS FANTASMAS COM CORAGEM OU ENTÃO PASSE A VIDA ASSOMBRADO POR ELES.

INSIGHT

QUEM NÃO FAZ LEVA

Os seus diplomas não farão nada por você, caso não se levante da cadeira e não inove em sua forma de pensar, tornando-se um acomodado que não tem iniciativa, morrendo de medo de assumir riscos, somente querendo manter o pouco que conseguiu.

Os seus títulos e cargos não farão nada por você, caso não prove todos os dias o seu valor. Não vale a pena viver de passado, perdendo o brilho nos olhos que um dia o fez superar muitos desafios, em troca da ilusão de manter o pouco que conseguiu.

A vida é muito mais saborosa quando sonhamos e cultivamos a coragem dentro de nós. Quando deixamos de lado a autopiedade que insiste em nos transformar em vítimas do sistema ou da família em que nascemos, em vez de assumirmos o papel de autores de nosso próprio destino. Assim, ganhamos forças para lutar por novos objetivos em vez de somente querer manter o pouco que conseguimos.

Aliás, quem joga na retranca, além de não manter o pouco que conseguiu, frequentemente perde. Como se diz no futebol: "Quem não faz leva."

QUALQUER TRABALHO QUE

não exija superação não lhe proporcionará crescimento.

não desafie os seus limites não lhe proporcionará crescimento.

não cause certa vontade de desistir em alguns momentos não lhe proporcionará crescimento.

seja confortável em 100% do tempo e exija apenas poucas horas de dedicação diária não lhe proporcionará crescimento.

não propicie crescimento simplesmente não serve.

INSIGHT

VOCÊ é INVEJOSO OU INTOLERANTE?

Há sentimentos considerados pouco nobres e que são muito difíceis de serem admitidos, mas que, no entanto, são mais comuns do que se imagina. O primeiro deles é a INVEJA. Você já viu alguém assumindo que é invejoso? Por definição, inveja é o sentimento de desgosto pelo bem alheio.

Se você não se sentiu feliz ao saber que seu amigo foi promovido, tudo indica que é invejoso. Se, ao saber que um amigo enriqueceu ou encontrou o amor da vida dele, você ficou triste ou com raiva porque sua hora nunca chega, sinto lhe informar que você é invejoso.

INVEJOSOS SÃO PESSOAS SOFRIDAS QUE GASTAM SUA ENERGIA PRODUTIVA NUTRINDO SENTIMENTOS NEGATIVOS EM VEZ DE APLICÁ-LA NA CONQUISTA DO QUE TANTO DESEJAM. SE VOCÊ SOFRE DESSE MAL, PROCURE UM PROFISSIONAL PARA SE TRATAR.

Outro sentimento difícil de se admitir, mas que, no entanto, também é frequente, é a INTOLERÂNCIA. Por definição, intolerância é a falta de uma boa disposição para ouvir com paciência opiniões opostas às suas. Saindo do campo das ideias, tem gente que é intolerante ao leite ou a outros alimentos, pois seu organismo reage mal à ingestão de determinadas substâncias.

Se você sente repúdio, vontade de vomitar, nojo, raiva ou qualquer tipo de repulsa por ideias partidárias, ideologias políticas ou religiosas contrárias àquelas em que acredita, você é INTOLERANTE. A propósito, a intolerância é um dos principais motivos de guerras, discórdias e mortes, e a razão pela qual o mundo tem sido um lugar mais difícil de se viver a cada dia.

Um país é resultado de sua ideologia, sua forma de pensar e do comportamento de sua população. Não permita que os valores sejam invertidos. Lembre-se de que os alemães não eram um povo idiota e mal-educado quando Hitler os liderou até o ponto em que conhecemos na história. Tampouco a Venezuela tinha um povo com um baixo nível de inteligência quando Hugo Chávez assumiu o poder, levando ao caos em que vivem hoje.

Isso significa que líderes manipuladores invertem os valores da sociedade e, em favor de suas ambições políticas e crenças equivocadas, são capazes de tudo, até mesmo de se corromperem em nome de um suposto bem maior. Eles não veem problema em controlar as instituições e usar a própria democracia para instituírem uma ditadura ideológica, invejosa e intolerante.

INSIGHT

aquilo sim é trabalho bom.

A ESCALA DA INVEJA

NÍVEL 1 — Não ficar feliz com o sucesso ou a alegria de seu amigo.

NÍVEL 2 — Ficar triste com o sucesso ou a alegria de seu amigo.

NÍVEL 3 — Perder o sono pelo sucesso ou pela alegria de seu amigo.

NÍVEL 4 — Sentir-se injustiçado pelo sucesso ou pela alegria de seu amigo.

Peça ajuda profissional. Não deixe a INVEJA transformá-lo numa criatura azeda, triste e sem brilho.

ENCONTRE UMA CAUSA PELA QUAL LUTAR.

Para aqueles que acham que os melhores benefícios trabalhistas são vale-transporte, vale-refeição, plano de saúde ou afins, digo que não há benefício maior do que sentir-se parte de algo relevante e que promova um forte crescimento pessoal e profissional. Propósito e paixão não têm preço. Por isso, para projetos realmente significativos é possível encontrar até quem trabalhe como voluntário.

Pare de procurar emprego. Encontre uma causa pela qual lutar. Desse jeito, a vida é muito mais saborosa e promissora, inclusive para se ganhar dinheiro. Você vai viver bem acima da média daqueles que infelizmente acreditam que trabalho é um mal necessário, um castigo, um peso a se carregar. A vida vivida assim é muito triste, limitada e chata. Você merece mais do que isso.

INSIGHT

No fim das contas,
ser vale mais do que ter.

APRENDENDO A DESAPRENDER

Desde pequenos, escutamos que devíamos estudar, tirar boas notas para arrumar um bom emprego e passar pelo menos 30 anos pagando ao governo o financiamento de uma casa própria, onde viveríamos pelo resto da vida.

Desde pequenos, assistimos a muitas matérias em telejornais, a entrevistas com desempregados e endividados em busca de uma oportunidade numa enorme fila de excluídos. Isso dá um medo do futuro...

Desde pequenas, muitas meninas ouvem: "Homem não presta", enquanto, por outro lado, os meninos escutam: "Mulher é tudo vagabunda." Mais do que ouvir, muitos viram de camarote, como num reality show, o casamento de seus pais se dilacerar, regado a gritos, agressões e desrespeito.

Crescemos. E agora, como esperar mais da vida sem ter medo dela? Como sonhar em empreender, correr mais riscos, sem o

— TOMA FILHO.   — TOMA FILHO.

— FILHO?

pavor de sermos um daqueles desempregados e endividados das matérias a que assistimos? Como nos entregar a um relacionamento de corpo e alma, sem temermos nos machucar?

Pra vencermos em diversas áreas, quase sempre precisaremos DESAPRENDER muito do que nos foi doutrinado ao longo da vida e nos atrever a manter a esperança em meio ao caos, e a nunca perder a disposição de colocar nossos planos em prática apesar da descrença difundida por todas as partes.

Não tenha medo! Independentemente das injustiças que presenciamos, somos capazes de superar os obstáculos e conquistar muito mais do que o pouco que, desde pequenos, tentaram nos convencer que a vida nos reservava.

Gostaria muito de ter o poder de fazê-lo acreditar nisso, mas este poder está somente em suas mãos.

PODE NÃO PARECER, MAS, ACIMA DAS MAIS DENSAS NUVENS DE UMA TEMPESTADE, EXISTE UM CÉU AZUL, LINDO E TRANQUILO.

PODE NÃO PARECER, MAS, ABAIXO DA AGITAÇÃO BARULHENTA DE UM MAR REVOLTO, O FUNDO DO OCEANO É COLORIDO, SILENCIOSO E QUASE EM CÂMERA LENTA.

PODE NÃO PARECER, MAS, POR MAIOR QUE SEJAM OS SEUS PROBLEMAS E AS CONTRADIÇÕES DE SUAS CRISES, AINDA ASSIM É POSSÍVEL ENCONTRAR O REFÚGIO DE QUE VOCÊ TANTO PRECISA.

NINGUÉM TEM O PODER DE TE COLOCAR PARA BAIXO A NÃO SER QUE VOCÊ PERMITA.

TUDO ISTO SE APRENDE.
Infelizmente, não na escola

O honesto parece bobo a curto prazo, mas a longo prazo ele acaba sendo o verdadeiro esperto.

O malandro, com os seus esquemas, parece esperto a curto prazo, mas a longo prazo percebe-se que ele é um grande otário.

Não tem jeito. A vida é implacável!

Tem ambições? Você é capaz de conquistá-las uma por uma. Não entre em canoas furadas nem se envolva em esquemas mirabolantes. Atalhos não existem.

NÃO EXISTE DINHEIRO FÁCIL

Diferentemente do que muitos pensam, nem o dinheiro que um jogador de futebol de ponta ganha é fácil.

Mesmo com todo o seu talento, um atleta profissional enfrenta em sua trajetória altos e baixos, superações emocionais, pressão, lesões e incertezas que são o espelho de uma realidade muito mais dura do que a que a mídia tenta vender.

Fique esperto e não se envolva em esquemas ou caminhos desonestos. Você definitivamente não precisa disso.

TÁ CANSADO? O MEU CONSELHO É: DESCANSE! ACHOU ÓBVIO?

ZzZz

Não é tanto assim, porque muitos quando estão cansados, em vez de descansar, preferem ficar reclamando.

Resultado: cansam todo mundo que está por perto.

PARA EMPREENDER É PRECISO

A visão é resultado de um exercício de imaginação. A imaginação, por sua vez, consiste na criação de hipóteses que são exibidas em nossa mente de forma bem realista, como num filme. Quando tudo isso acontece enquanto dormimos, chamamos de sonho. Quando acontece enquanto estamos acordados, chamamos de visão.

A capacidade de enxergar uma oportunidade ou de criá-la é possível somente para alguém que esteja livre dos formatos dominantes e dos paradigmas estabelecidos. Dentro da caixa só se pode contemplar o óbvio. Fora dela, não há limites.

Para empreender é preciso ter coragem
Coragem não significa ausência de medo. Cara a cara com o medo, a maioria se acovarda enquanto uma minoria decide partir para o enfrentamento.

Mesmo diante da mais bela visão, sem a coragem necessária, toda ideia vai para dentro da gaveta. A covardia é a gerente geral do cemitério das ideias.

Para empreender é preciso ter competência
Cheio de coragem e com uma boa ideia na cabeça, um empreendedor precisa ser competente para colocar seu projeto em prática com sucesso.

TER VISÃO

Um dos primeiros desafios é levantar o capital necessário para iniciar sua jornada. Muitos fracassam nesse obstáculo inicial, sem sequer ter entendido que angariar capital é uma questão de competência e não de oportunidade.

Um bom projeto, quando apresentado com perseverança e competência, vai gerar uma fila de investidores que desejam se associar ao empreendedor. Por isso digo: investidores não buscam ideias simplesmente. Buscam empreendedores capazes de colocar em prática suas boas ideias.

Mas quem é o investidor? Pode ser seu vizinho, seu amigo, sua namorada, seu sogro, um banco, um fundo, uma empresa ou até seu concorrente. Investidor é qualquer pessoa ou grupo de pessoas que tenha sido cativado por sua apresentação, acreditando que vai recuperar o capital rapidamente e lucrar com a sua gestão durante a execução do projeto.

De nada adianta ter uma bela visão e ser corajoso, mas se mostrar incompetente na hora de colocar suas ideias em prática.

Para empreender com sucesso é preciso ter:
VISÃO, CORAGEM e COMPETÊNCIA.

INSIGHT

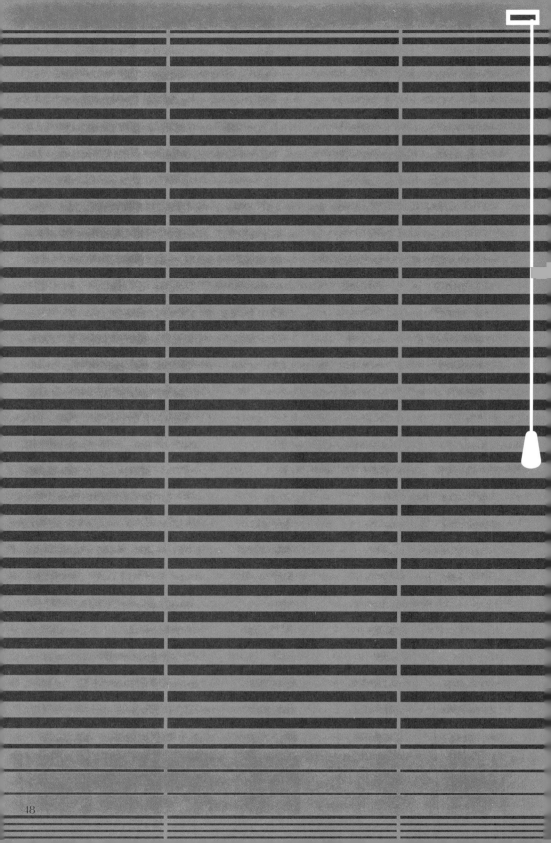

A PIOR CEGUEIRA É AQUELA RESULTANTE DA FALTA DE VONTADE DE ENXERGAR.

ELITISTAS FRUSTRADOS: O POVO MAIS CHATO DO MUNDO

Hoje eu ouvi que há um personagem bem conhecido no mercado que está muito incomodado com a abordagem do Geração de Valor (GV). O principal desconforto é por estarmos, segundo ele, massificando demais o empreendedorismo.

É óbvio que não é a primeira vez que percebo esse tipo de pensamento em pessoas que acham que empreendedorismo é uma atividade restrita apenas a uma elite acadêmica ou associada a glamour.

Segundo esses pretensiosos, dar esperança demais às pessoas comuns, dizendo que elas são capazes de construir a própria história, é como iludi-las. Quem pensa ou diz isso expressa tanto o seu preconceito como a sua mediocridade. Muitos desses elitistas, no fundo, não produziram nada na vida ou realizaram muito pouco com o patrocínio do papai e, mesmo assim, destacaram-se mais pela aparência do que por resultados concretos.

Vou repetir o que já disse: empreendedorismo é para todos. É pra quem se formou em Harvard ou na faculdade do Tribobó do Oeste, pra quem só tem o ensino fundamental e até pra quem é analfabeto.

Valorizo tanto um jovem de uma startup de tecnologia quanto uma mãe que sustentou a família lavando roupas: o pipoqueiro que inovou e criou uma rede de vendedores de pipoca; o garçom que abriu seu negócio com muita dificuldade, criou uma rede de churrascarias e, por fim, a vendeu por 800 milhões – como no caso do Fogo de Chão –; entre muitas outras histórias de pessoas que contrariaram a lógica elitista dominante na nossa sociedade.

O GV não está aqui para agradar aos pretensiosos que usam palavras difíceis e ostentam uma coleção de diplomas na parede e um arsenal de experiências frustradas, restando-lhes histórias bonitinhas pra contar com seu discurso intelectual de voz impostada.

O GV está aqui pra encorajar os que sonham remar contra a maré e estão dispostos a mudar de vida por meio de suas iniciativas, sem se intimidar com a selva que é o mercado nem ceder ao "coitadismo" cada vez mais comum.

Quem não acredita que seja possível uma pessoa comum superar as enormes barreiras sociais e vencer não está em sintonia com a filosofia empreendedora do Geração de Valor.

ENCONTRAR UM "VISIONÁRIO" É DIFÍCIL MESMO, MAS ACREDITE: ELE ESTÁ AÍ.

VOCÊ NÃO ACREDITA NA EMPRESA EM QUE TRABALHA?

Saia daí o mais rápido possível sob pena de se vender barato em troca de conseguir algumas moedas pra pagar suas contas no fim do mês. Sua vida e seu tempo valem muito mais do que isso.

O QUE FAZER?
NÃO ME PERGUNTE.
PERGUNTE A SI MESMO:

O QUE EU QUERO PARA A MINHA VIDA?

Você pensa que falar é fácil, não é? Pois é, quero ver então ter a coragem para largar o certo medíocre em busca de seu sonho duvidoso, tão cobiçado.

Poucos têm essa coragem.
Poucos se destacam da multidão.

Relações superficiais não são capazes de produzir resultados profundos. Por isso, o relacionamento com sua equipe de trabalho, com seu parceiro e com seus amigos são pactos firmados entre as partes que, se forem conduzidos de forma profunda, verdadeira e transparente, serão capazes de produzir resultados bem acima da média.

Agora, conduzidos na superficialidade e com segundas intenções, o que é muito frequente em nossa sociedade, ficarão no lugar-comum, na mediocridade.

INSIGHT

FESTEJAR COM OU SEM MOTIVOS É SEMPRE BOM. MAS FESTA BOA MESMO É AQUELA QUE FAZEMOS QUANDO MERECEMOS, **QUANDO CONQUISTAMOS** E QUANDO NOS LEMBRAMOS DE TODAS AS **BARREIRAS SUPERADAS.**

Chegar ao sucesso não é fácil,
mas também não é impossível.

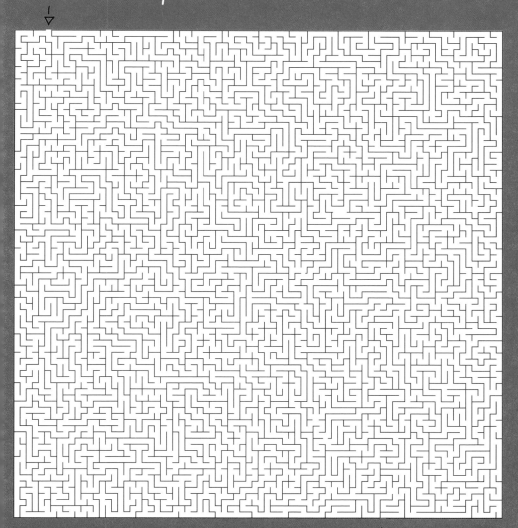

Sucesso.

O SENSO COMUM PAIRA NO AR *MAS O QUE É O SENSO COMUM?*

Ele é formado pelo conjunto de opiniões, visões e valores adotados pela mente coletiva. O senso comum é a famosa voz do povo, pretensiosamente chamada de voz de Deus. Talvez ela se assemelhe mais à voz do demônio, porque, na contramão desse conceito, há quem tenha dito que toda unanimidade é burra. Além disso, o senso comum conduz uma pessoa ao inferno para fazê-la arder por toda a vida no mar da estagnação e da mediocridade.

É muito usual, dentro do senso comum, sermos desencorajados a acreditar em inovações, em conceitos que sejam diferentes daqueles passados de geração para geração e que mantêm as grandes massas dentro do seu quadrado e num lugar aparentemente seguro, porém estagnado. Nesse lugar acostuma-se com tudo: com o ônibus cheio, com o trem lotado, com a marmita fria, com horas no engarrafamento, com as cartas de cobrança do SPC (Sistema de Proteção ao Crédito), com ==o medo de perder o emprego, o medo do futuro e toda sorte de medo que assombra o senso comum.==

O senso comum domina mentes e decisões, produzindo resultados que sustentam a tese das impossibilidades. Como está "provado" por A + B que não é possível fazer nada para mudar, "vivamos de acordo com o senso comum, porque pelo menos estaremos livres de grandes frustrações". Mas o que é mais frustrante do que manter seus sonhos engavetados e viver todo santo dia com os planos B, C, D... Z?

Quem criou o senso comum? Não sei, não quero saber e tenho raiva de quem sabe, mas ele paira por aí, no ar, nas famílias, na escola, na universidade, na igreja, nas rodas de bar, na praia e na maioria das empresas privadas e públicas do planeta.

Quem tiver a coragem de se livrar do senso comum terá muito mais chances de sair dessa corrida de ratos, parar de correr atrás do próprio rabo e de papéis na ventania. Além disso, terá mais possibilidades de navegar num oceano azul, com as mãos firmes no leme.

==Todas as vezes que alguém contraria as "normas" desse tal senso comum é imediata e brutalmente criticado pelos seguidores da boiada. É chamado de louco, iludido, sonhador, fora da realidade ou coisas do gênero.==

Experimente dizer: "Vou sair da faculdade", "Não quero saber de estabilidade. Quero ganhos sem limites" ou "Desisti de fazer medicina, prefiro música". Ou então, se não se incomodar de ser chamado de retardado, diga assim: "EU GOSTO DE TRABALHAR."

Os conceitos do senso comum são as algemas de uma moderna modalidade de escravidão. É a escravidão da mente, aquela que faz a pessoa, por exemplo, preferir o certo ao duvidoso, a estabilidade às chances de se realizar fazendo o que gosta, um emprego a um trabalho, um salário a dividendos. É um tipo de escravidão que faz a pessoa odiar o trabalho, abominar o esforço e ser reduzida a um mero pagador de contas no fim do mês e nada mais.

Sei que o discurso é duro, mas a realidade é ainda mais dura do que isso. A revolução que pode libertar o indivíduo dessas algemas acontece dentro da mente, na cachola, em sua massa cinzenta. Muito antes de você meter a mão na massa, sua mentalidade determina se está escravizado pelo senso comum ou se é livre para fazer as próprias escolhas. Essa revolução brutal porém sem armas acontece no sangrento campo de batalha chamado "sua mente".

DEPOIS DE SEREM CRITICADOS E DESPREZADOS DURANTE ANOS POR CONTRARIAR A DITADURA DO SENSO COMUM, AQUELES QUE CONSEGUIREM SE LIBERTAR E ALCANÇAR O SUCESSO RECEBERÃO OS FAMOSOS TAPINHAS NAS COSTAS DOS PUXA-SACOS DE PLANTÃO, SEGUIDORES FIÉIS DO SENSO COMUM QUE, PERPLEXOS, DIRÃO: "ESSE DEU SORTE…" TÁ BOM, SORTE.

É preciso saber enxergar uma boa oportunidade na hora certa. Chegar atrasado, só se for pra ficar se lamentando...

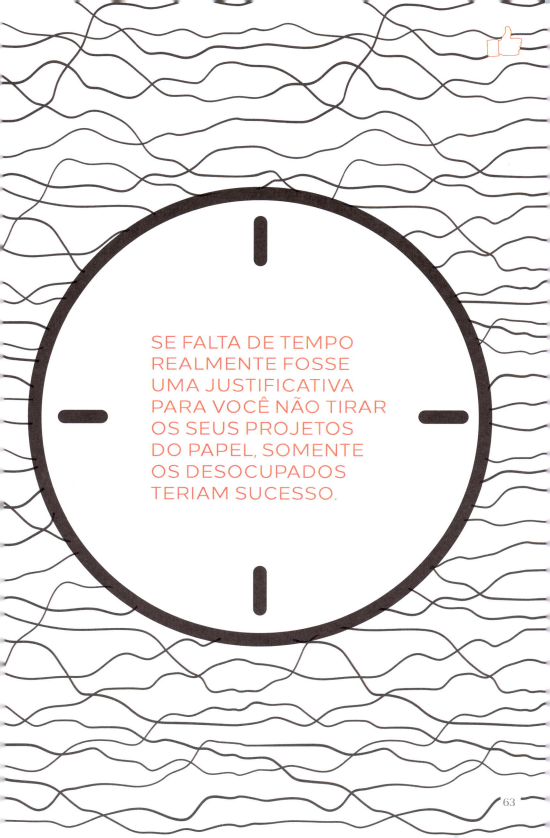

PARA OS CAMPEÕES

Ande com os campeões.
Espelhe-se nos campeões.
Pense como os campeões.
Comporte-se como os campeões.
E, de preferência, seja um campeão.

MAS, AFINAL, O QUE É SER UM CAMPEÃO?

É CUMPRIR SUA MISSÃO.

É não mudar de lado por conveniência.
É guardar a fé até o fim.
É ter raízes profundas.
É jamais desistir.
É cumprir suas metas e seus propósitos.

Afaste-se dos perdedores.
Aprenda com os seus erros.
Não ceda à filosofia "coitadista" dos perdedores.
Não rejeite os seus valores.
E, de preferência, não seja um perdedor.

Mas, afinal, o que é ser um perdedor?

É não ter um ideal pelo qual lutar, se deixando levar pela vida.
É alterar seu comportamento e seus valores por conveniência.
É sentir-se vítima em vez de autor de sua história.
É ter uma desculpa na ponta da língua para não cumprir seus
    compromissos.
É sempre desistir no calor das primeiras dificuldades.

Campeões puxam a responsabilidade para si. Perdedores acreditam que dependem de terceiros e adoram dizer: "É fácil falar, mas na prática..."

Campeões são mestres na arte da superação. Perdedores param ao primeiro sinal de dor.

Campeões sentem-se estimulados pelos abutres que tentam desmotivá-los. Perdedores sentem-se consolados pelos abutres porque encontram argumentos para sua fraqueza.

Campeões focam o troféu e a recompensa. Perdedores focam o processo, as dificuldades e aquilo que não os faz sentir prazer durante sua jornada. Uma frase muito utilizada pelos perdedores ao desistir é: "Eu preciso fazer algo que amo." Campeões amam a vitória, ainda que, em alguns momentos, a jornada não seja tão prazerosa quanto eles gostariam.

Campeões fazem a diferença no mundo. Perdedores fazem parte de uma grande massa de descontentes que desfrutam dos avanços promovidos pelos campeões.

Temos campeões em missões humanitárias, na área científica, no teatro, nos esportes, em assistência social e em todos os setores da sociedade. Campeões sempre são recompensados, mas não necessariamente com dinheiro, a depender da missão escolhida por cada um.

Temos perdedores na política, na medicina, no mundo dos negócios, na classe operária, nas universidades. Há muitos perdedores ricos, em especial incompetentes que desviaram dinheiro público e que, por isso, engrossam as filas dos consultórios psiquiátricos em busca de antidepressivos que aliviem seu peso na consciência por descobrir que de fato o crime não compensa.

Nossa conta bancária não é capaz de nos fazer campeões, nem os nossos bens, diplomas ou títulos. Quando cumprimos nossa missão e estamos dispostos a dar a vida por um ideal, frequentemente alcançamos os resultados necessários para sermos reconhecidos no seleto grupo dos campeões.

Campeões sabem do seu valor e não se desencorajam quando a sociedade os vê com desprezo e como parte de uma grande massa desqualificada sem sobrenome. Por outro lado, campeões não se iludem quando alcançam o sucesso e essa mesma sociedade passa a lhes dar tapinhas nas costas e a puxar seu saco, dizendo: "Você é o cara." Os campeões sabem exatamente quem são e o que sempre foram. Sabem que já eram campeões na baixa, dentro de um transporte coletivo lotado, da mesma maneira que são na alta, dentro de um jato executivo.

O reconhecimento da sociedade não altera a identidade dos verdadeiros campeões por uma razão simples: eles sabem que a sociedade é hipócrita.

CHEGA DE DESCULPAS

A vida de quem criou o hábito de dar desculpas para todos os seus fracassos e deficiências é um círculo vicioso dramático e melancólico, repleto de inveja e de vitimismo. A culpa é sempre de terceiros, seja o sistema, a sociedade, a família, o capitalismo ou qualquer um que apareça pela frente.

Quem cultiva esse hábito acaba tendo uma vida dura, recalcada, sem conquistas, mas, ao mesmo tempo, possui enorme soberba por se considerar moralmente superior, já que tem a presunção de ser mais consciente que os demais.

Deixe as desculpas de lado, assuma a responsabilidade por suas deficiências, ainda que nem todas tenham sido fruto de suas escolhas, como ter nascido numa condição social desfavorável.

Diante das adversidades, seu valor deve ser demonstrado por sua criatividade e coragem para derrubar as muralhas sociais resultantes de governos omissos por décadas, que em vez de promoverem a expansão da economia, a meritocracia e escolas decentes, promovem as desculpas e disseminam o "coitadismo" a fim de manter a população como refém.

Diante do fogo, o papel queima, mas o ouro brilha. Quem é GV entende muito bem essa metáfora.

10 PENSAMENTOS QUE PODEM AJUDAR VOCÊ A ENXERGAR MELHOR O MUNDO

1. BBBs conquistam fama, mas não sucesso.
2. Não é verdade que para crescer profissionalmente é necessário abandonar a família.
3. Ricos não são pessoas más, e pobres não são pessoas boas. Há rico de tudo quanto é tipo, assim como há pobre de toda espécie.
4. O capitalismo não é o culpado pela desgraça da humanidade. A desgraça da humanidade é fruto do próprio ser humano abraçado com seu egoísmo.
5. Socialistas não são menos egoístas e nutrem suas ambições ideológicas com a mesma voracidade com que consumistas se lançam às promoções de Natal em shopping centers nos Estados Unidos.
6. Diploma não garante sucesso, mas aumenta suas chances de alcançá-lo. Chances maiores não garantem sucesso, assim como chances menores não excluem os mais criativos e determinados.
7. Em mais de 20 anos treinando e formando executivos, tenho observado que os melhores resultados, na maioria das vezes, não vêm dos mais talentosos, mas sim dos que dominam melhor suas habilidades emocionais.
8. O Brasil é um excelente mercado para se construir um negócio promissor, apesar de sua burocracia burra e da grande tolerância que a população tem com os corruptos e gestores de serviços públicos de péssima qualidade, pagos à custa de altos impostos.
9. A mentalidade de um indivíduo determina seu comportamento. O comportamento determina a criação de novos hábitos. Os hábitos determinam os resultados em todos os setores da vida. Logo, os resultados de um indivíduo são o espelho de sua forma de pensar.
10. Compartilhar conhecimentos não tem preço. Desejo que você um dia experimente, depois de ter chegado ao topo, colaborar com as novas gerações.

fin

O EGOÍSTA SEMPRE ACABA SÓ.

O VENENO DA ESTAGNAÇÃO

Vou apresentar uma situação hipotética que pode revelar um pouco dos bastidores de suas emoções e ajudá-lo a tomar algumas decisões. Pense nas três pessoas que você mais ama na vida. Pensou? Agora, imagine o seguinte: elas foram picadas por um inseto que possui um veneno mortal cujo único antídoto é você realizar uma tarefa que há bastante tempo tem protelado porque a considera muito difícil, como passar num concurso, cumprir uma desafiadora meta de vendas ou iniciar com sucesso seu projeto dos sonhos.

Perguntas óbvias, mas nem tanto quanto parecem:
1. Você as deixaria morrer ou faria o que fosse necessário para salvá-las?

2. O que aconteceria com seu senso de urgência nessa situação?
3. Como seria sua nova organização de prioridades na hipótese apresentada? Você gastaria seu tempo da mesma forma?
4. Mesmo considerando que os momentos de diversão sejam importantes em nossa vida, como você organizaria seu lazer a partir de seu novo senso de urgência?
5. Você tem conduzido sua vida hoje com a mesma determinação que conduziria na situação apresentada?

É claro que estamos falando de uma situação extrema e hipotética, mas o que essas perguntas podem revelar?

Suas emoções, seu senso de urgência, a forma como organiza suas prioridades e a garra que imprime em suas ações determinam se você entra para fazer acontecer ou apenas para seguir o fluxo da boiada, sem compromisso, de forma indolente e inconsequente, sem assumir o rumo de sua vida e sendo conduzido aleatoriamente pela correnteza que leva uma grande multidão à estagnação.

As pessoas que você mais ama não estão envenenadas. Foi apenas um exemplo. Mas qual é o senso de urgência necessário para você não ser mais um na multidão? Para fracassar, basta não fazer nada, pois é como se o veneno do fracasso já estivesse circulando em nossas veias. Para conseguirmos o antídoto, depende muito de quanto estamos determinados a viver. Não digo sobreviver, vagando sem sentido pelo mundo, mas viver com brilho, fazendo a diferença nessa sociedade de gente especialista em dar desculpas e sentir-se vítima das circunstâncias.

Reflita com carinho.

INSIGHT

LIVRE-SE DOS RANCORES

CARA, VACILEI CONTIGO. ME PERDOA?

Guardar rancores adoece, amargura e apodrece. Guardar rancores separa grandes amores e destrói grandes amizades. Guardar rancores acaba com seu entusiasmo. Estando você certo ou não, a única saída é o perdão, que lava a alma e devolve a motivação e a alegria de estar novamente bem pertinho de seu companheiro, amigo ou irmão.

Guarda rancores quem já caiu na armadilha do orgulho, quem – por descuido – deixou coisas preciosas guardadas no meio do entulho, jogadas ao vento, sem pensar que mais tarde cairia no arrependimento, restando para si apenas o lamento.

Mas quem deixa o rancor de lado já está pensando fora do quadrado, numa sociedade de corações gelados, em que o errado virou certo e o certo virou errado. Por isso, não se deixe levar pelo pensamento alheio, seja forte, independentemente do meio, assuma sua própria identidade de peito aberto, em busca de reconstruir o que já parecia morto e perdido, trazendo para perto até quem lhe fez se sentir iludido, mesmo que tenha sido de propósito ou por um simples mal-entendido.

Deixe o rancor de lado. Deixe o orgulho de lado. Saia dessa teia. Volte a respirar fundo e a sentir a doçura de uma vida livre de culpas ou acusações. Simplesmente perdoe. E faça isso o mais rápido possível.

O PERDÃO É LIBERTADOR.

COLOQUE A CAMISA DE FORÇA PRA LER ESTE TEXTO

Quem trabalha com o objetivo de ficar rico geralmente não encontra razões suficientes para permanecer em sua busca em meio às dificuldades. Muito antes de chegar lá, alguns ficam desgastados com a turbulenta jornada e outros perdem sua essência e negociam até seus valores.

No entanto, o mais comum é alguém acabar se tornando muito rico quando as razões que o levaram a progredir em seu projeto – sendo este bem estruturado, é claro – transcenderam o próprio e legítimo interesse.

Ou seja, quando o empreendedor tem produto e gestão excelentes, possui a capacidade de construir um senso de missão e causa em seu negócio, aliado a um modelo que envolva todos os seus colaboradores e os recompense generosamente pelos resultados atingidos, e se diverte enquanto trabalha muitas horas por dia, seus resultados, como mera consequência, vão levá-lo a ficar muito rico.

Quando o assunto é liderança, esses fatores precisam se mostrar ainda mais presentes. Isso porque liderar é a arte de unir pessoas diferentes em torno do mesmo propósito, trabalhando os elementos que movem cada um. Esses elementos se manifestam de forma diferente para cada pessoa, mas convergem num único foco: a causa, o projeto e as metas da empresa.

Liderar pensando apenas nos próprios interesses é impossível. O máximo que se consegue com isso é chefiar. A liderança é exercida mediante os interesses dos liderados. Essa é a principal matéria-prima da liderança. Ou seja, liderando é possível criar um ambiente de intraempreendedorismo, onde cada um luta para alcançar os próprios objetivos e o resultado final será, por consequência, o sucesso do projeto e do líder.

Este é o famoso paradoxo da liderança: pensar em si é o mesmo que não pensar em si. Não pensar em si é igual a pensar em si. Como isso é o oposto do estilo de vida da sociedade em que vivemos, poucos entendem e, por isso, poucos constroem algo de fato relevante.

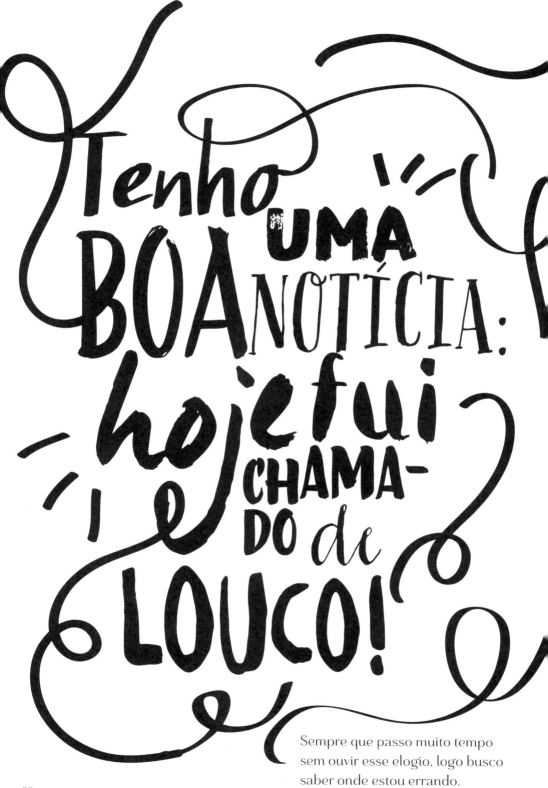

Sempre que passo muito tempo sem ouvir esse elogio, logo busco saber onde estou errando.

TEXTO PARA EMPREENDEDORES QUE AINDA NÃO SAÍRAM DO ARMÁRIO

(SE VOCÊ NÃO SE CONSIDERA UM EMPREENDEDOR, CASO O LEIA, POR FAVOR, NÃO SE OFENDA.)

Num emprego convencional, se dividimos o salário pela quantidade total de horas trabalhadas no mês, chegamos ao valor de sua hora de trabalho. Na prática, independentemente da área de atuação, é isso que o empregado está vendendo ao seu patrão: o seu tempo. Ou seja, um empregado é um vendedor de tempo. No entanto, o tempo é um ativo finito, distribuído a cada um de forma igualitária, afinal todos, sem exceção, competentes ou não, têm exatamente a mesma quantidade de tempo todos os dias: 24 horas.

Além do tempo que o empregado vende para a empresa na qual trabalha, ele também precisa de mais tempo para conviver com os familiares, dormir, se exercitar, se divertir, promover ações sociais, fazer viagens, ir ao médico, ao dentista, almoçar, jantar, etc. Logo, como temos tempo limitado e muitas outras responsabilidades, o modelo empreguista convencional jamais proporcionará a seus empregados um meio de realizarem com plena satisfação suas aspirações financeiras, familiares, sociais e de qualidade de vida, o que acaba gerando a médio prazo muita insatisfação e frustração.

Alguns vão ocupar o topo da pirâmide das organizações, chegar a cargos executivos e ter acesso, por meio de uma remuneração variável extra no fim do ano, a ganhos um pouco mais privilegiados, dentro desse modelo industrial. Mas, em contrapartida, seu tempo será ainda mais absorvido com viagens, reuniões, videoconferências, congressos, eventos, cursos, treinamentos, etc. Ter função executiva numa empresa importante não consumirá menos do que 70 horas semanais de trabalho intenso, sem contar com outras 20 horas quando o cérebro do executivo permanece ligado em suas metas e seus compromissos profissionais enquanto está com a família.

Fui diretor de uma empresa bem cedo, aos 21 anos de idade, e passei a conhecer essa rotina. Sempre encarei toda essa movimentação como um investimento, assumindo esse estilo de vida com alegria a fim de conquistar mais conforto para minha família. Afinal, eu era muito jovem, sem filhos, e tinha a Luciana totalmente envolvida e alinhada com o mesmo projeto.

Como você pode perceber, existe uma enorme distorção que deixa grande parte das pessoas, seja de empresas privadas ou públicas, com perspectivas muito limitadas. Para resolver essa distorção, seria necessário falarmos de forma mais séria sobre empreendedorismo, mas infelizmente, pela livre-iniciativa, estatisticamente já sabemos que, na hora de correr riscos, a maioria sai de fininho e acaba abraçando de volta a prática convencional da venda de tempo. Mas o que esses indivíduos não percebem é que, ao não assumirem esses pequenos riscos, eles acabam correndo um perigo real de passarem pela vida como meros pagadores de contas, mesmo já tendo testemunhado o mesmo acontecer com seus pais, vizinhos e amigos durante toda a vida.

Há uma frase famosa da abolicionista afro-americana Harriet Tubman que resume muito bem essa realidade e dispensa comentários: "Libertei mil escravos. Poderia ter libertado outros mil se eles soubessem que eram escravos."

A solução para quem deseja se libertar desse modelo trabalhista dominante é o entendimento de que vender TEMPO é uma atividade extremamente limitada, por ser personalíssima, afinal o seu tempo é apenas seu e não pode ser emprestado, doado, alienado nem alugado. Isso significa que se você ficar doente ou impedido de vender o seu tempo, terá que sobreviver à custa do famigerado INSS.

Melhor do que vender TEMPO é vender seu próprio PRODUTO ou SERVIÇO. Por isso, sugiro trocar o que você tem vendido nos últimos anos. Pare de vender seu tempo escasso e passe a vender seu próprio produto. Desenvolva a sua marca, o seu modelo de negócios, crie os diferenciais em seu setor e venda sem limites. Sem limites de tempo, sem limites geográficos, em outros países, on-line, por venda direta, com catálogo, no varejo, de porta em porta, com distribuidores, representantes comerciais, franquias, cadeias próprias de lojas, etc.

Fazendo isso, você não vai mais ser remunerado pelo relógio, mas sim pela performance de seu produto no mercado (DIVIDENDOS). Sua capacidade de gestão e de criar processos eficientes dará a você a liberdade para usar seu tempo em todos os setores de sua vida do modo que considerar mais produtivo. Quando estiver nesse estágio evolutivo em seu negócio, você poderá planejar férias em baixa temporada sem filas e apagões nos aeroportos, conhecer outros países, culturas e idiomas, sem que sua empresa perca performance, pois terá o mérito de tê-la estruturado muito bem.

Mas se não quiser parar por aí e desejar continuar evoluindo dentro desse processo, em vez de focar apenas o dividendo, resultado do desempenho de seu produto no mercado, você poderá subir mais alguns degraus e trabalhar pelo seu patrimônio (EQUITY), ou seja, o valor de seu negócio. O valor de uma empresa pode ser medido pela sua capacidade de geração de caixa e por meio de balanços auditados e processos consolidados em seu segmento de atuação. Analistas e bancos especializados em M&A (transações de fusão e aquisição), usando metodologias como o Discounted Cash Flow (DCF), por exemplo, estão aptos a fazer uma avaliação de seu modelo de negócios, encontrando investidores (FUNDOS), competidores estratégicos ou até levantando a possibilidade de abrir o capital da empresa para o mercado numa Oferta Pública Inicial, IPO na sigla em inglês. Nesse estágio você passará a vender AÇÕES.

Comece vendendo seu tempo, mas se quiser mais da vida, pense fora da caixinha e venda seu próprio produto ou serviço. Agora, se desejar subir mais alguns degraus, conquiste o patamar que o tornará apto a vender as ações de sua companhia. Venda 1%, 20%, 50% ou até 100%, de acordo com a melhor estratégia. Aliás, sempre vale a pena lembrar que o prêmio máximo de um empreendedor é ver o seu empreendimento sendo reconhecido pelo mercado a ponto de ser comprado.

Em qualquer hipótese, seja vendendo tempo, produto ou ações, somente existirá espaço para os que produzem e têm uma boa performance. Aqueles que frequentam escritórios de forma mecânica mal conseguirão manter o emprego, ou seja, o direito de vender o próprio tempo para uma empresa em troca de um salário.

O que você anda vendendo ultimamente? Não pense pequeno, mas tenha a coragem de começar pequeno e crescer com seus próprios méritos. Você pode até não saber como nem por onde iniciar seu projeto, mas só de começar a pensar fora da caixinha, muitas ideias vão surgir.

Para finalizar, sempre aparece alguém me perguntando: "Mas, Flávio, e se todo mundo resolver abrir uma empresa? Quem é que vai trabalhar nelas?" Esta pergunta é clássica, por isso vou respondê-la por antecipação. Se você fizer uma pesquisa com mil pessoas e perguntar "Você gostaria de ser dono de uma empresa de grande sucesso e ter sua independência financeira?", 99,9% vão responder que sim, mas estatisticamente, na hora de pôr isso em prática, trabalhar 12 horas por dia e correr riscos, a maioria sai de fininho.

Com base nesse dado, posso afirmar que empreender será para uma minoria mais corajosa, mais inconformada com a "lenga-lenga" corporativa e que não quer esperar 30 anos para começar a desfrutar, se tudo der certo, de uma qualidade de vida acima da média.

Minha expectativa quando escrevo este texto é atingir uma pequena minoria. Na realidade, se uma única pessoa for impactada e resolver sair do armário para explorar mais seu potencial, vou ficar muito satisfeito.

PENSE
FORA DA
CAIXA.

TEM CERTEZA
DE QUE VOCÊ ESTÁ
NO LUGAR CERTO?

MATURIDADE VALE MAIS DO QUE EXPERIÊNCIA

A sua capacidade de ESPERAR não está relacionada a idade, potencial intelectual, condição social ou econômica, experiência profissional e muito menos a formação acadêmica. A sua capacidade de ESPERAR está relacionada apenas a sua MATURIDADE.

A MATURIDADE produz a inteligência emocional necessária para que se façam escolhas de acordo com o que seja mais produtivo e não simplesmente de acordo com sua vontade imediata. Para uma criança, a vontade é o único fator que importa, nada mais. Porém a PACIÊNCIA é um dos ingredientes que distinguem os homens dos meninos.

MATURIDADE vale mais do que EXPERIÊNCIA. Quando falamos de MATURIDADE, pensamos logo na questão da idade. Ou seja, fazemos uma associação com tempo de serviço ou alguns cabelos brancos.

Obviamente, com a idade, há sim a possibilidade de termos aprendido mais, mas infelizmente isso não é uma regra. Existem jovens ainda inexperientes mais maduros e preparados do que pessoas mais velhas e com quilometragem alta que insistem em cometer os mesmos erros de sempre.

Seja nos negócios, nos relacionamentos ou em qualquer área da vida, todos os dias vemos meninos inconstantes, alguns com mais de 40 anos, metendo os pés pelas mãos, colocando tudo a perder pelo simples fato de, por imaturidade, não saberem esperar a hora mais apropriada para tomar determinada iniciativa. Um desperdício...

Será que alguém que está se divorciando pela quinta vez pode dar bons conselhos sobre casamento? A prova de que você é experiente e maduro, ou seja, de que tem know-how e sabe do que está falando são seus RESULTADOS.

Somente seus resultados práticos, profissionais ou pessoais, podem lhe dar credibilidade para ser ouvido e ganhar status de conselheiro. Infelizmente existem teóricos e palpiteiros de plantão que colecionam muitos anos de vida, mas poucas realizações. É claro que por educação escutamos suas dicas, mas, no fundo, lhes damos pouco crédito por conta de seus escassos resultados.

Em resumo, MATURIDADE vale mais do que EXPERIÊNCIA, mas o verdadeiro cartão de visita são seus RESULTADOS. O melhor é aprender com quem provou que tem know-how. Ou seja, com quem realmente sabe.

PACIÊNCIA:
QUEM TEM
CHEGA MAIS
LONGE.

QUER AJUDAR UM AMIGO ENDIVIDADO?

Quase sempre emprestar dinheiro não significa ajudar, apesar de remediar o problema. Se a raiz da dívida for o consumismo, seu amigo só terá trocado de credor, conseguindo um mais complacente (você). Ou seja, continuará endividado e logo vai se meter numa nova dívida até que outro amigo com pena o "ajude" novamente.

SOFRER AS CONSEQUÊNCIAS PODE SER A MELHOR AJUDA.

Uma criança que não é disciplinada e não arca com as consequências de suas escolhas equivocadas vai crescer precisando que a vida lhe ensine. A vida não tem pena. A vida é implacável.

INSIGHT

VOCÊ DOMINA SUAS EMOÇÕES A PONTO DE OUVIR VÁRIOS DESAFOROS SEM REVIDAR?

Circulou há algum tempo na internet um vídeo de uma mulher agredindo verbalmente e tentando humilhar uma jovem num shopping no Rio de Janeiro. Entre muitas barbaridades – que me deram vergonha alheia –, ela disse: "Sua pobre ridícula", "Eu moro num triplex", "Quem é você?", etc.

Apesar do destaque negativo para essa senhora em 99% dos comentários – ela foi repudiada pela comunidade digital –, a grande protagonista desse episódio e que merece reconhecimento foi a jovem que, entre outras qualidades, se mostrou equilibrada emocionalmente e não perdeu o controle, ao contrário do que desejava a agressora.

Num dos momentos quentes da discussão, a senhora chama a jovem para a briga, desafia, agride verbalmente, mete o dedo na cara e faz chacotas. Porém, a jovem, numa grande demonstração de maturidade e de inteligência emocional, avalia as consequências de entrar nessa pilha, percebe que está moralmente em vantagem diante dos crimes que a outra estava cometendo na presença de dezenas de testemunhas e se mantém firme. Pede que chamem o segurança do shopping.

Tudo foi gravado num celular por uma terceira pessoa, que no final também foi agredida.

A maioria não levaria esse desaforo para casa, permitiria que o orgulho falasse mais alto e deixaria a inteligência de lado. Consequência: no mínimo, iriam todos para a delegacia. No entanto, a jovem provou que, em meio a uma crise, não perder a razão pode ser seu maior trunfo. Isso faz toda a diferença.

Eu não sei qual é o nome dessa jovem, mas ela se tornou um exemplo a ser seguido. Lá no início do texto, eu disse que a senhora estava "tentando" humilhá-la. Disse "tentando" porque ela não conseguiu. Sem dúvida, além de inteligente emocionalmente, essa moça sabe muito bem qual é o seu valor e mostrou que não é possível humilhar quem deixa o orgulho de lado e é humilde. Para isso, a inteligência é que deve dar as cartas.

Humildade é uma questão de inteligência. Parabéns!

A transformação vem de dentro pra fora. A transformação vem de dentro pra fora. A transformação vem de dentro pra fora. A transformação vem de dentro pra fora.

A transformação vem de dentro pra fora.

QUER SER UM PAGADOR DE CONTAS PELO RESTO DA VIDA?

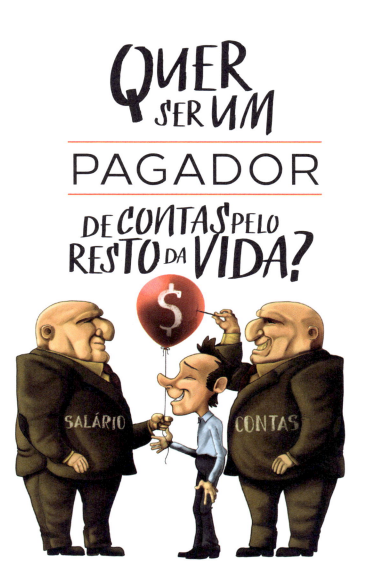

Não adianta apenas ganhar bem. É importante saber gastar bem. Se você gasta 100% do que ganha (e, em alguns casos, 110%, porque contrai dívidas), vai passar por este planeta sendo nada mais do que um pagador de contas.

Não importa se você ganha pouco ou muito. Uma dica é: separe e invista 20% de seus ganhos. Fazer isso será a maior garantia de que, com o passar do tempo, você terá alguma chance de mudar sua realidade.

Isso exige sacrifícios, mas como seria se a sua gestão, nos últimos 10 anos, tivesse priorizado separar e investir 20% de tudo que você ganhou? Quantas dezenas ou até centenas de milhares de reais você teria em caixa lhe rendendo pelo menos 10% ao ano, a baixíssimo risco?

Jamais vai sobrar dinheiro em seu orçamento, muito menos 20% de seu ganho. Por isso eu disse para separar e investir antes de tudo, de modo a viver com o restante. Isso exige sacrifício e disciplina que poucos se dispõem a seguir, já que o consumismo sempre vai apresentar uma "oportunidade imperdível" à qual a maioria cede por causa do próprio imediatismo.

Alguns vão dizer, quase chorando: "Mas, Flávio, falar é fácil. Eu não consigo viver com 80% do que ganho." Então eu pergunto: Como você faria se ficasse desempregado? Geralmente, respondem: "Ah, neste caso, eu daria um jeito." Pois é, é disso que estou falando. Você tem que dar um jeito agora para viver com 80%. Simples assim. Essa é a sua chance de, a médio prazo, declarar sua liberdade financeira enquanto a grande maioria caminha para a dependência financeira do sistema.

A filosofia que rege os imediatistas é esta: "Eu vou morrer mesmo. Então, pra que economizar?" E assim mergulham em suas dívidas.

Claro que vamos morrer. Mas se nada vale a pena, pra que matriculamos nossos filhos na escola? Porque é uma aposta no futuro. Separar e investir 20% de seu ganho é um investimento tão concreto quanto matricular o filho numa escola em favor do futuro dele.

A falta de educação financeira, aliada à epidemia do imediatismo, faz com que um grande número de pessoas mergulhe na mediocridade, na escravidão das dívidas à mercê de altos juros. Essa realidade é capaz de lhes roubar um futuro mais próspero. Com a capacidade financeira que poderiam conquistar com suas economias, essas pessoas poderiam investir em grandes oportunidades.

Essa é uma verdade inconveniente que poucos querem ouvir. Não é por acaso que poucos chegam mais longe.

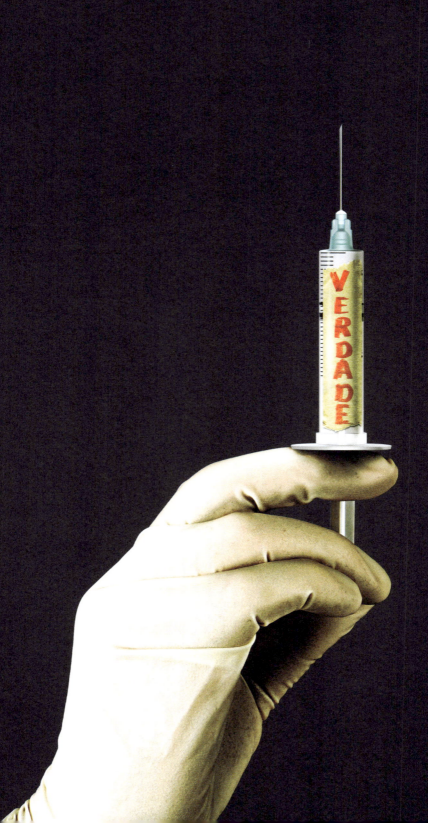

DÓI,
MAS
CURA.

PARA QUEM NÃO SE OFENDE COM A VERDADE

> Se é de seu costume se ofender com a verdade, não leia este texto.

Aceita qualquer coisa? Fique tranquilo, a vida vai lhe dar qualquer coisa.

O que você busca é apenas sobreviver? Ok, isso não é tão difícil. Você vai conseguir sobreviver.

Quer o melhor? Trabalhe por nada menos que isso, sem planos B, e você terá alguma possibilidade de conquistar o melhor.

Qual é a fonte que define o destino de cada um?

Mentalidade medíocre gera resultados medíocres. Mentalidade vitoriosa produz maiores chances de conquistar resultados acima da média. A razão é simples: uma mentalidade vitoriosa persegue os meios para alcançar o conhecimento necessário até consegui-los. Sem essa mentalidade vitoriosa, restam apenas justificativas, "coitadismos" e falta de iniciativa.

Onde aprender a ter uma mentalidade medíocre? Na escola, na religião mecanizada, nas rodas de bar, nos discursos de campanhas eleitorais, na televisão, na maioria das timelines das redes sociais, na universidade... A mentalidade medíocre está por toda parte, já que desde cedo fomos catequizados na escola para acreditarmos que o bom é estar na média. Mediocridade é estar na média.

Onde aprender a ter uma mentalidade vitoriosa? Na realidade, a pergunta está malformulada. A pergunta correta seria "com quem aprender a ter uma mentalidade vitoriosa?". Com os que chegaram lá, com os que não seguiram as massas, com os que não ficaram apenas na teoria e corajosamente colocaram seu conhecimento em prática. Só é possível aprender a ter uma mentalidade vitoriosa com os vencedores. No lugar mais alto do pódio não existe espaço para teorias vãs e discursos baratos.

O passaporte para subir nesse lugar que poucos alcançam são resultados concretos e não diplomas pendurados na parede. Alguns pensam assim: "Mas, Flávio, como vou ter acesso a essas pessoas vitoriosas? Isso é muito difícil e geralmente elas são inacessíveis." Para chegar até elas basta saber o que pensam, como se comportam e de que forma lidam com as adversidades que fazem com que o ser humano comum desista de seus projetos.

COMO É O COMPORTAMENTO DOS VITORIOSOS?

Isso é o que importa. Com a tecnologia, por meio de redes sociais, materiais biográficos e conteúdos produzidos por essas pessoas, você tem acesso a elas como nenhuma outra geração teve.

Para finalizar, peço mais uma vez que, por favor, não se ofenda. Para os que ainda não entenderam, vou ser mais claro. Para fazer R$ 1 milhão em um ano, trabalhando honestamente, eu precisaria apenas de R$ 30 mil de capital inicial em qualquer cidade do Brasil para iniciar por baixo com um projeto empresarial e crescer gradativamente ao longo do tempo. Como? Já falei várias vezes. Não importa o produto ou o serviço. Isso é secundário. A essência dessa certeza, que coloco em prática com meus empreendimentos, é que desejo transmitir para vocês. Aí está o valor que poucos conseguem alcançar e que é tratado de forma limitada como se fosse uma teoria sensacionalista.

O conhecimento que distribuo em meus textos e vídeos está permeado dessa convicção que contraria o modelinho medíocre que a sociedade apresenta aos jovens, condicionando-os a resultados pífios e ainda fazendo-os achar que tudo isso é normal. Em primeiro lugar, é preciso sair da conformidade. Senão, tudo continua na mesmice.

A prova do que estou escrevendo é que desde que criei o GV em 2011 vendi uma empresa que eu tinha fundado havia 18 anos por cerca de R$ 1 bilhão (2013) e, de lá para cá, em menos de 2 anos, comprei outra empresa nos Estados Unidos que já vale mais do que a primeira que vendi no Brasil ano passado. Além disso, outras empresas que fundei no último ano também já decolaram. Essa é a diferença.

Não sou filósofo, teórico nem escritor de autoajuda. Sou um empresário que partiu do zero e que não se conforma em apenas desfrutar de suas conquistas, o que seria legítimo. Ninguém será capaz de me convencer do contrário. Você pode ser assim, uma vez que se livre da mentalidade tóxica, medíocre e requentada imposta pela sociedade e costumeiramente aceita de forma passiva pelos jovens.

O sucesso é uma ciência exata que todos podem aprender. Primeiro aprender a ser, para depois fazer e por consequência ter. Meu sonho é conseguir transmitir essa certeza para mais gente. Não tenho do que reclamar, pois muitas pessoas já a estão colocando em prática e colhendo resultados. Infelizmente, outras acham que os textos são motivadores e bonitinhos, mas parecem ainda estar presas à boiada e entorpecidas pela ilusão da estabilidade, mergulhadas em referenciais muito aquém do desejável e, por isso, continuam sem sair do lugar.

Desperdiçam seu potencial, usando os textos do GV apenas como entretenimento massageador da alma para deixar seu cérebro ainda mais obeso. Sim, conhecimento não colocado em prática produz obesidade cerebral. Por isso, acabam não usando esse conteúdo como combustível e conhecimento para transformar seus sonhos em realidade. O que falta? Apetite. E, estando sem fome, conformam-se com migalhas.

Por que me dedico a compartilhar minha experiência e tentar inspirá-lo a ter sucesso? O que quero em troca? Apenas ter a certeza de que sua vida seja transformada assim como transformei a minha. Estou devolvendo para o mundo um pouco do que aprendi.

Eu não sou melhor do que você. Então, por que não descobrir que o mundo é muito mais do que aquilo que lhe foi apresentado?

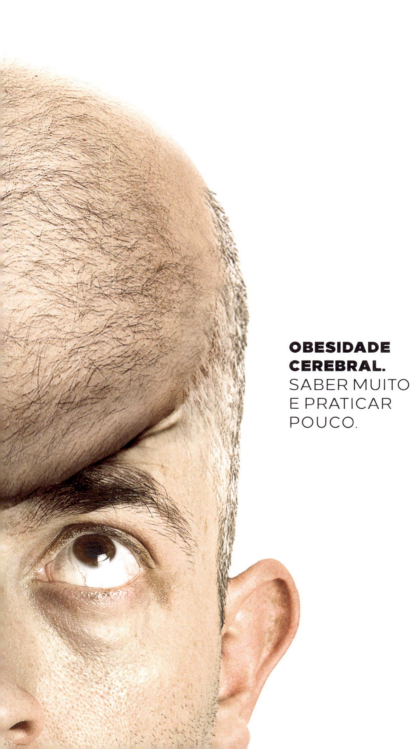

OBESIDADE CEREBRAL. SABER MUITO E PRATICAR POUCO.

BENEFÍCIOS E RISCOS DE SER BEM-SUCEDIDO

Segundo a revista *Forbes*, o Brasil tem apenas 20 bilionários com menos de 50 anos de idade. Desses, somente quatro começaram do zero, sendo a maioria composta por herdeiros.

Isso significa, como sempre faço questão de mencionar, que realmente não é fácil chegar lá partindo do zero, como não é no mundo inteiro. Porém, a boa notícia é que essa estatística também prova que é possível. Sim, é possível.

O que essas quatro pessoas têm em comum? Todas são empreendedores que um dia assumiram riscos, contrariando o fluxo, trabalharam duro e transformaram seus sonhos numa realidade palpável aos realistas que antes duvidavam de seus projetos.

Considerando que para ser feliz e realizado não é preciso ter ganhos na casa do bilhão, suas chances serão maiores se você se dedicar a um empreendimento que o apaixone. Prepare-se e trabalhe duro e com paixão.

BENEFÍCIOS

1. Liberdade de viajar fora da alta temporada, para onde você quiser e quantas vezes quiser, pagando menos e com mais qualidade.

2. Acesso às melhores instituições de ensino no Brasil e no exterior.

3. Maiores cuidados com a saúde e melhores tratamentos médicos.

4. POSSIBILIDADE DE AJUDAR A FAMÍLIA.

5. Acesso ao consumo sem a preocupação com o pagamento de juros às instituições financeiras.

6. Possibilidade de comprar roupas e eletrônicos no exterior pagando até três vezes menos.

7. Chance de trabalhar naquilo que você realmente gosta, sem que seja necessário batalhar pela sobrevivência, fazendo com que a produtividade seja ainda maior.

RISCOS 7

1. Perder a identidade.

2. Deixar a vaidade subir à cabeça.

3. Tornar-se fútil.

4. Não saber administrar seus sucessores (filhos) para que estes, como herdeiros, sejam responsáveis e não se tornem riquinhos inconsequentes.

5. Não saber lidar com os interesseiros que se aproximam.

6. Não conseguir encarar o desafio de cultivar valores mais simples.

7. Perder a humanidade e a percepção da realidade do mundo, muito diferente da sua.

Sabemos que há ricos que vivem com grande simplicidade, enquanto há pobres que se endividam porque são vítimas de sua ostentação. Por outro lado, conheço muita gente simples bastante próspera e também conheço ricos miseráveis, infelizes e ainda mais endividados.

No fundo, o que é capaz de tornar alguém feliz não se pode comprar. Agora, sabendo construir uma existência relevante, suas conquistas materiais poderão ajudá-lo a ter uma melhor qualidade de vida.

PARA SER UM VENCEDOR É PRECISO TER
A CORAGEM DE ENFRENTAR A FRUSTRAÇÃO DE
UM FRACASSO COM O MESMO APETITE COM
QUE SE DESFRUTA DO SABOROSO SOM DOS

aplausos

CONSUMIU CON$UMIU COM ISSO SUMIU

É POSSÍVEL ESTAR 100% DO TEMPO ENTUSIASMADO

1. Sempre haverá momentos em que você deverá correr, mesmo que esteja sem vontade.

2. Neste momento, os que não são determinados o suficiente logo vão se convencer de que não são "felizes" naquele projeto e vão buscar uma alternativa mais confortável.

3. FREQUENTEMENTE CONFUNDEM FELICIDADE COM CONFORTO.

4. Uma trajetória de vitórias é repleta de momentos felizes, realizações e grande entusiasmo, mas também de decepções, traições e estresse.

5. O mais importante é a certeza de que esta superação necessária vale a pena.

6. O estresse do crescimento é muito menor do que o do fracasso e da estagnação.

7. Esse cenário é um eficaz processo seletivo natural que separa os que subirão ao pódio dos que ficarão sempre na plateia aplaudindo.

FORÇA, GV!

Identificou uma oportunidade?

UM GV

BOIADA

ESCREVA UMA FALA QUE EXPRESSE OS PENSAMENTOS DE UM GV E OUTRA QUE ESPELHE OS DA BOIADA. DEPOIS FOTOGRAFE E POSTE NO FACEBOOK COM A HASHTAG **#EUSOUGV**

UM GV

BOIADA

ESCREVA UMA FALA QUE EXPRESSE OS PENSAMENTOS DE UM GV E OUTRA QUE ESPELHE OS DA BOIADA. DEPOIS FOTOGRAFE E POSTE NO FACEBOOK COM A HASHTAG **#EUSOUGV**

UM GV

BOIADA

QUANDO VOCÊ QUER, ATÉ O FUNDO DO POÇO AJUDA

Dentro d'água, quanto mais fundo você desce, mais tem a sensação de que algo o empurra para cima. Essa força é chamada de empuxo.

Fazendo uma analogia menos física e mais filosófica, é possível tirar proveito do empuxo para reagirmos em situações adversas. Quanto mais fundo descemos no mar do caos, maior será a força de empuxo que poderemos usar a nosso favor para superá-lo.

Ainda me lembro bem do dia em que, depois de mais de cinco anos gastando cerca de quatro horas por dia em transportes públicos lotados para estudar e trabalhar, tomei a decisão definitiva de que não me submeteria mais àquela degradação. Eu e minha namorada levamos quase cinco horas para chegar a um churrasco. Chegamos no final da festa e com fome. Foi quando decidi que não usaria mais transporte público.

No entanto, há outra força contrária poderosa que é capaz de anular o empuxo: a autopiedade. Em meio a uma situação extrema, sentir-se um coitado ou uma vítima das circunstâncias anula seu protagonismo e sua força de reação ao empuxo emocional. Em cenários assim, culpar terceiros, a sociedade, considerar-se excluído ou discriminado, tira o protagonismo do indivíduo e sua chance de reagir, criar soluções e encontrar caminhos para mudar sua realidade. Em vez disso, ele fica imobilizado pelo "coitadismo".

Alguns falam para mim: "Você diz isso porque é rico." Eu respondo: "Entre outras razões, fiquei rico porque sempre disse isso para mim, mesmo dentro de um trem lotado com oito pessoas por metro quadrado." Ninguém me contou. Vivi isso na pele. Alguns de vocês sabem de minha origem simples na periferia do Rio de Janeiro. Outros equivocadamente pensam que sou herdeiro de uma fortuna.

Outros ainda já me disseram: "Você diz isso porque não é negro." Eu respondo: "Sim, não sou, mas, quando ouço isso, a minha vontade é de ser negro para provar que isso não é um atestado de inferioridade e que, apesar da discriminação, são a vontade e as escolhas do indivíduo que determinam seu destino, seja ele negro, branco, amarelo ou colorido." Tenho muitos amigos negros e conheço vários negros bem-sucedidos, tanto no Brasil como nos Estados Unidos. O que mostra que enfrentar as barreiras dessa sociedade hipócrita nunca é fácil, mas é possível, sim. E isso é o que me interessa e o que eu o aconselharia a levar em conta.

A síntese do que escrevo neste artigo é: qualquer adversidade influencia, mas não determina. Ser pobre dificulta, mas o que determina é a minha atitude diante das adversidades a fim de superá-las. Ser negro e sofrer discriminações pode atrapalhar muito, além de incomodar e entristecer profundamente, o que eu compreendo, mas o que define o seu destino – aliás, o destino de qualquer indivíduo – tem a ver com sua atitude e suas escolhas para superar as adversidades cotidianas.

Na realidade, quanto mais escaldante é o seu desafio, maior será o empuxo. Não permita que o vírus do "coitadismo" anule essa força fantástica que existe a seu favor. Quanto maiores forem as dificuldades, maior será sua força para superá-las.

FALO POR EXPERIÊNCIA PRÓPRIA.

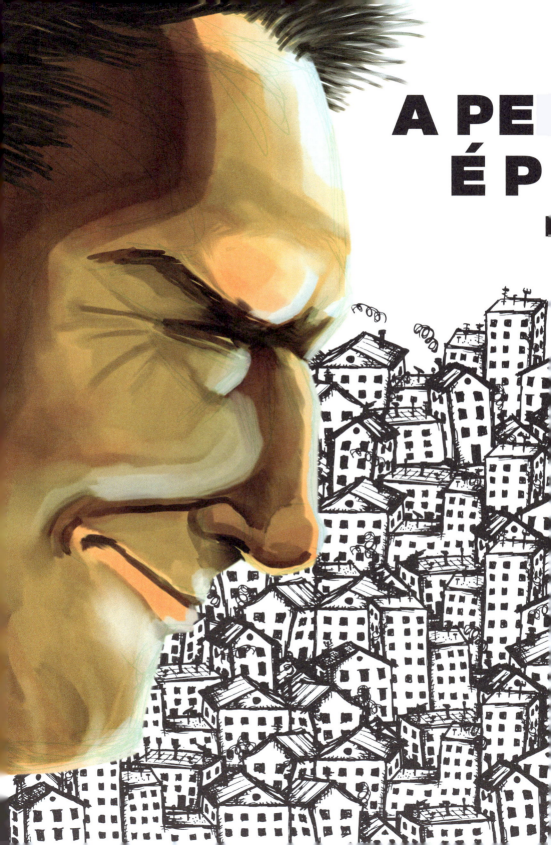

PERIFERIA PARA OS FORTES

Segunda-feira, oito da manhã. Há alguns anos, neste mesmo horário, eu já estava em minha saga diária, depois de ter passado duas horas dentro de um ônibus lotado no trânsito caótico da avenida Brasil, para chegar ao Centro do Rio de Janeiro de igual para igual com um playboyzinho que tinha saído de casa 15 minutos antes para pegar o metrô com ar condicionado.

Dormia duas horas a menos e, à noite, depois do trabalho, também tinha duas horas a menos com a família, os amigos ou para desenvolver outras atividades. Essas quatro horas dentro de transportes coletivos de massa, com a péssima qualidade que sempre tiveram, podem ser consideradas uma desvantagem social competitiva?

É claro que sim. É uma desvantagem social competitiva, é uma barreira a mais que milhões de pessoas que todos os dias saem da periferia para os grandes centros para trabalhar precisam superar. Essa enorme massa de gente é tratada com desprezo, como rolezeiros, adeptos do funk, gente desqualificada, sem futuro e condenada à mediocridade.

Quem disse que a sociedade é justa? Quem disse que o governo tem alguma preocupação com os jovens da periferia? Observe que estou falando do transporte público de 23 anos atrás. Ele melhorou hoje? Absolutamente, não. É tão ruim quanto era, com o agravante do número de carros nas ruas, que quase triplicou.

Agora, para você da periferia que gosta de se fazer de coitado, eu quero dizer uma coisa: o fato de a sociedade ser injusta e você ter que matar 10 leões a mais que os mais privilegiados não o torna alguém inferior, que não deve sonhar grande, ou parte de uma sub-raça de mal-educados e fadados a comer as migalhas dessa sociedade hipócrita.

Você não é do tipo que soltou pipa no ventilador e jogou bola de gude no carpete. Desde cedo, você aprendeu a se defender dentro de uma escola pública e a se garantir nessa selva de pedra da periferia. A vida também pode sorrir para você e, nessa hora, o mundo vai se curvar à sua competência e à sua determinação para superar as dificuldades, sem ter permitido que sua autoestima fosse afetada. Nessa hora, o sistema que o desprezou vai começar a puxar seu saco, vai lhe dar tapinhas nas costas para ter você como cliente especial. Mas não se iluda com isso nem se contamine com essa hipocrisia. Você não é especial por causa de sua nova condição financeira.

Sabe quando você foi especial? Quando estava amassado dentro do ônibus cheio. Naquele momento crítico, em vez de usar seu tempo para reclamar da vida, você sonhou. Enquanto cruzava a cidade de pé e imprensado, olhando para a sua própria imagem no reflexo da janela embaçada do ônibus, você aproveitava para pensar em seus projetos. Até que chegou o momento em que você tomou a decisão de virar o jogo, de estudar, de trabalhar, de empreender suas vendas, de se dispor a empregar um esforço extra para mudar de vida.

Você não é especial depois que virou o jogo. Você tem a chance de ser especial no meio do caos, da adversidade e quando todos o olham com desprezo. É em momentos como esses que os grandes vencedores mostram seu valor.

A você da periferia, onde nasci e fui criado, deixo registrado todo o meu respeito. Você é um campeão, você tem valor. Portanto, seja forte, não se contamine com o negativismo e acredite que é capaz de virar o jogo. Quando isso acontecer, nunca deixe de lado sua essência e tenha orgulho de suas origens, pois esse é um atestado vivo de seu mérito.

HOJE

AMANHÃ

MUITOS NÃO SÃO SINCEROS PORQUE TEMEM SER REJEITADOS.

NÃO ELOGIAM PORQUE TEMEM PASSAR POR PUXA-SACOS.

NÃO ASSUMEM QUE AMAM PORQUE TEMEM SE DECEPCIONAR.

NUNCA RECONHECEM SEUS ERROS PORQUE TEMEM DEMONSTRAR FRAQUEZA.

POR ISSO, QUEM É CONDUZIDO PELO MEDO OU PELO DESEJO DE AGRADAR A TODOS EM TODOS OS MOMENTOS FATALMENTE ACABA DEIXANDO DE LADO A PRÓPRIA IDENTIDADE.

SEGURANÇA OU LIBERDADE:
CEDO OU TARDE, TODOS FAZEMOS ESSA ESCOLHA

VOCÊ PRECISA DECIDIR SE SUA VIDA SERÁ DIRIGIDA À CONQUISTA DE SEGURANÇA OU DE LIBERDADE. A ESCOLHA ENTRE ESSES DOIS CONCEITOS MUDA BRUTALMENTE SUAS PRIORIDADES E SEU ESTILO DE VIDA.

Para quem busca SEGURANÇA, a meta é um bom emprego, mesmo sabendo que sua empresa pode ser vendida e você, demitido. Se o emprego for público, a sensação de segurança é ainda maior, não importa se ocupará uma função incompatível com sua vocação ou se frequentará ambientes em que não se sente motivado.

Para quem busca LIBERDADE, é inconcebível estar preso 44 horas por semana numa empresa, sem a possibilidade de viajar de férias quando quer, decidir mudar de cidade ou país ou de definir o projeto em que deseja investir. Para quem busca liberdade, ter tempo e recursos suficientes para desfrutar da família com qualidade é prioridade absoluta.

Muitos vagam por aí sem entender que viver de acordo com um desses dois estilos de vida é uma questão de escolha, pois herdaram da so-

ciedade um modelo dentro da caixa que sentem muito medo de mudar. Medo que os impulsiona com todas as forças a buscar uma sensação de SEGURANÇA.

Por outro lado, os que admitem que gostariam de viver com LIBERDADE logo sentem-se intimidados a dar esse passo, pois durante anos todo o sistema educacional convencional os treinou a se sentirem bem-sucedidos porque conseguiram um emprego com um bom salário e desqualificaram os que tentaram sair desse modelo.

Não adianta ficarmos filosofando. No fim do dia, você terá que decidir o que deseja para sua vida, se é que já não decidiu sem perceber, levado pela correnteza, e acabou se tornando um a mais na multidão. Sei que muitos não gostam desse assunto e até se sentem ofendidos com ele. No entanto, meu papel aqui é lhe dizer: você tem escolha.

Não estou dizendo que seja fácil nem que você não sentirá medo, muito medo. Estou apenas dizendo que os que conquistaram a liberdade são os que tiveram a coragem de deixar a ração diária garantida pelo galinheiro e subiram uma montanha a fim de saltar lá de cima para voar e caçar sua própria comida, sem garantias, porém sem limites, onde quiserem e quando quiserem. Isso é LIBERDADE.

Este é um ótimo momento para refletir sobre como você deseja viver os seus breves anos neste planeta.

NECESSÁRIO E SUFICIENTE

Tem gente mais pobre do que você vencendo na vida e gente mais rica do que você fracassando. Logo, não importa se as chances são maiores ou menores para alguns. O que importa é que as chances existem. Para quem quer fazer a diferença, isso é o suficiente.

Tem gente vencendo nas piores cidades dos piores países do mundo. Tem gente fracassando nas melhores cidades dos melhores países do mundo. Logo, não importa se as chances são maiores ou menores em alguns lugares. O que importa é que as chances existem. Para quem quer fazer a diferença, isso é o suficiente.

Eliminar as justificativas e os "vitimismos" que servem para anestesiar a consciência pode até ser doloroso, mas o coloca em seu lugar como o único autor de suas escolhas e responsável por seu destino. Logo, não importa se isso dói ou o faz se sentir pressionado. O que importa é que somente assumindo seu lugar de protagonista é possível criar as próprias chances. Para quem quer fazer a diferença, isso já é muito mais do que suficiente...

INSIGHT

QUANTO MAIS *não* EU RECEBO, SIGNIFICA QUE MAIS PERTO EU ME ENCONTRO DO

Só acerta o alvo quem o enxerga

O ápice do sucesso de um empreendedor não acontece quando ele começa a ganhar o lucro de seu negócio, nem quando ele é reconhecido pelo público, nem quando sua empresa aparece nos jornais ou sua marca passa a ter evidência.

O ápice do sucesso de um empreendedor tampouco ocorre quando ele se torna líder de mercado.

O ápice do sucesso de um empreendedor acontece quando o reconhecimento da empresa que ele criou é grande a ponto de o mercado se dispor a pagar para adquiri-la. Ou seja, quando o empreendedor vende seu negócio, obtendo o lucro do patrimônio que construiu.

Nos Estados Unidos, por exemplo, empreendedores que vendem seu negócio logo são reconhecidos por pessoas comuns, pois já há uma percepção madura da população sobre o que representa essa conquista.

No Brasil, lembro-me de que logo depois que vendi minha empresa em 2013, numa das maiores transações da história do setor de educação, algumas pessoas me perguntaram, preocupadas: "Mas, Flávio, por que você vendeu sua empresa? Você está passando por algum problema?"

Todos nós estamos sempre vendendo alguma coisa. Empregados vendem sua hora para uma empresa em troca do salário. Outros vendem seus produtos ou serviços por meio de suas empresas. Num outro patamar, empresários vendem ações de suas companhias. Mas, no topo, criadores de modelos de negócios venderão para o mercado os empreendimentos bem-sucedidos que criaram.

Enxergando em perspectiva, o que você está vendendo agora? Horas, produtos, ações ou empreendimentos?

INSIGHT

Uma meta de longo prazo que não tenha um passo a passo definido que possibilite s ealização tem outro nome. Neste caso, deveria ser chamada de uma ilusão de longo prazo.

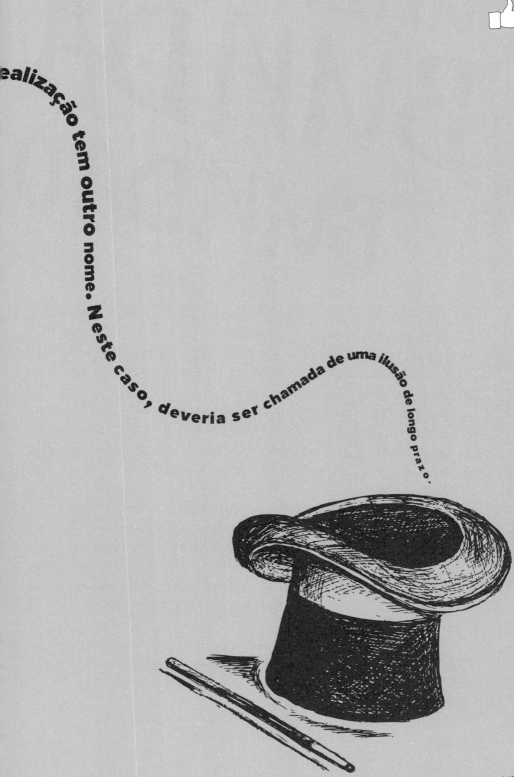

BUNDÃO, BUNDÃO, BUNDÃO, BUNDÃO

Eram duas horas da madrugada do dia 1º de janeiro de 1997, em Cabo Frio. Depois da festa da virada do ano, fui com alguns amigos saltar de bungee-jump na praia, de uma altura de cerca de 70 metros, pois queria começar o ano fazendo algo diferente.

Quando chegou a nossa vez, um dos amigos, o primeiro a se colocar para saltar, entrou na plataforma e, segundo ele, no meio do trajeto, suas pernas começaram a tremer.

Como ventava naquela madrugada, a plataforma balançava muito e ele, no momento derradeiro, quando teria que saltar, não teve coragem e pediu para descer.

Enquanto descia, a galera cantava em coro: "Bundão, bundão, bundão!" Com uma coloração amarela, ele pisou no chão com muita felicidade e, àquela altura, não se importava mais com a manifestação "carinhosa" dos amigos.

O próximo da fila fui eu e, ainda sob o efeito das chacotas sobre o "bundão" e rindo bastante da situação, vesti o equipamento, cheio de convicção, e fui para a plataforma. Enquanto subia, ainda sorrindo, a cerca de 20 metros de altura, o som da galera começou a ser substituído pelo barulho do vento que vinha do mar escuro e batia em meus ouvidos. A 30 metros, não ouvia mais nada. A 40 metros, com o efeito pêndulo, já balançava bastante e eu não tinha mais razões para sorrir. A 50 metros, percebi que a coisa era séria. A 60 metros, fiquei com muito medo. Ao chegar ao topo (70 metros), comecei a me questionar: "O que estou fazendo aqui? Pra que isso? O que tenho a provar para as pessoas? E se eu morro aqui?"

O bungee-jump não é como uma montanha-russa, onde você, depois de entrar e ficar travado na cadeira, não tem mais a alternativa de voltar atrás. Neste caso, a máquina toma todas as decisões por você. Já no bungee-jump, a decisão é exclusivamente sua, desde o solo até os 70 metros de altura. Lá em cima, ninguém me empurraria, eu é que teria que tomar a decisão de saltar, contrariando meu instinto de sobrevivência em troca de uma experiência "adrenalinizada".

Por fim, depois de muita hesitação, saltei. Na verdade, a razão para fazê-lo não foi o meu desejo inicial de passar o ano de forma diferente ou de ter uma nova experiência. Confesso que o que me fez saltar foi o fato de não querer ouvir o coro ao descer, ficar com cara de bobo e dar justificativas para meus amigos. Não queria deixar essa marca justamente no início daquele ano, e isso foi o que me encorajou a enfrentar o medo em vez de me acovardar.

Seja o motivo pequeno, grande, ideológico, nobre ou até insignificante, é fundamental identificá-lo a fim de fortalecê-lo, porque na hora H é a sua motivação que vai ajudá-lo a não entrar para o time dos "bundões". Você pode estar fazendo algo por seu filho, sua família, seus sonhos, seus pais ou pelo exemplo que representa para os seus liderados.

Na vida, haverá muitas vezes em que sentiremos medo, mesmo depois de nos prepararmos muito, mas a decisão de saltar da plataforma sempre será sua. Muitos acabam criando motivos maiores para fugir, que contrariam tudo em que acreditaram enquanto se preparavam. Seja para sair de casa, casar-se, ter filhos, abrir uma empresa, mudar de país ou até pedir demissão de um famigerado emprego em que você está infeliz, é preciso ter coragem.

Pode parecer simplista, mas pela minha experiência ao longo dos últimos 20 anos treinando executivos e empreendedores, afirmo que não é bem assim. Vi muita gente talentosa perdendo chances incríveis por ter amarelado quando deveria ter agarrado a oportunidade de mudar de vida. Afinal, o destino não privilegia os covardes.

O DESPREZO AO QUE TEM VALOR E A VALORIZAÇÃO DO QUE É INSIGNIFICANTE

Quando mudamos uma simples e aparentemente inofensiva premissa em nossa forma de pensar ou em valores sobre os quais sempre estivemos fundamentados, uma reação em cadeia começa a acontecer de forma invisível, alterando, para melhor ou para pior, nossos resultados e a percepção do mundo a nosso respeito. É o chamado efeito borboleta.

Para um líder, por exemplo, esse desvio é inicialmente percebido pelos seus liderados apenas de forma inconsciente, alterando aos poucos sua credibilidade, seu prestígio e seu respeito dentro de seu ecossistema. Nessa fase, ninguém sabe explicar exatamente o que está acontecendo, mas se percebe que o sentimento já não é mais o mesmo, e o que antes fazia todo sentido do mundo passa a dar lugar a insistentes questionamentos.

Invariavelmente chegará um momento em que aquele pequeno e inocente desvio virá à tona em forma de uma enorme discrepância, quando muitos – dessa vez de forma consciente e flagrante – não compreenderão como aquele indivíduo tão bem-sucedido e equilibrado no passado pode ter derrapado na curva, tornando-se irrelevante, bem como todos os seus resultados.

Mas o que a maioria não sabe – e provavelmente continuará sem saber – é que esse processo já havia sido iniciado tempos atrás, quando, movido pela inércia, esse indivíduo ainda dava a impressão de que tudo corria bem em sua trajetória.

A verdade é que o sucesso não ocorre por acaso, e as maiores lições que são capazes de nos levar a vitórias extraordinárias e a um nível bem acima do mercado são bastante simples, porém alicerçadas em princípios imutáveis, valores inegociáveis e fundamentos sólidos. Se em algum momento o indivíduo despreza esses princípios, pode receber como contrapartida do destino sua exclusão das grandes conquistas.

Pior do que isso é ter que vagar pelos próximos anos sem ser capaz de perceber o que perdeu pelo caminho, estacionado em seu novo referencial mediano e consumindo o que sobrou de sua reputação conquistada num passado distante. Visionário transformado em cego.

Quanto antes resgatar as premissas e os princípios abandonados, voltando a se conectar com os fundamentos deixados de lado, menores serão o desvio e as consequências inevitáveis das escolhas feitas. Se, com dignidade, ele estiver disposto a pagar o preço pela fraqueza moral que o afastou do alvo do qual jamais deveria ter tirado os olhos, mais rapidamente o fruto das novas sementes plantadas será colhido.

Mas se continuar na trajetória errada, por orgulho, resignação ou até negação da existência de seu desvio, talvez como uma forma de autoproteção para poupar-se do sofrimento inevitável, será apenas uma questão de tempo, pouco tempo, para que essa linda avenida cenográfica desemboque num beco sem saída, com uma enorme parede de concreto, à espera da colisão fatal.

Sabe quantas vezes já vi isso acontecer nos últimos 20 anos? Várias. A história sempre se repete, movida pelos mesmos motivos, pelas mesmas fraquezas, pelas mesmas presunções e algumas vezes com os mesmos personagens.

Aproveito, cada vez que vejo isso acontecer, para ficar ainda mais prudente em guardar muito bem os princípios que me trouxeram até aqui. Lembro-me de que essa mentalidade é mais valiosa que tudo, mais que minha experiência, meu know-how e até mesmo os recursos que conquistei. Com ela, sou capaz de recomeçar do zero e fazer ainda melhor e mais rapidamente. Sem ela, destruiria com as próprias mãos e em pouco tempo o que levei décadas para construir, sobrando apenas as justificativas para tentar arrumar um culpado.

Esquecer-se desses princípios é permitir que a arrogância adormecida dentro de cada um de nós tome de assalto o lugar da humildade que nos torna eternos alunos na escola da vida. Somente nesse caminho a perpetuidade de nossas conquistas é garantida.

P.S.: Os princípios abordados neste texto valem para todos os setores da vida. Em muitos deles, particularmente, estou vencendo e em outros tenho sido diariamente desafiado. O texto é denso e bem complexo. Se você tem interesse por temas relacionados a liderança, recomendo que o leia várias vezes e reflita sobre cada parágrafo.

INSIGHT

Um pequeno desvio na rota e você pode parar a quilômetros de seu objetivo.

ESCREVA UM TÍTULO QUE DEFINA BEM ESTA CHARGE. DEPOIS FOTOGRAFE E POSTE NO FACEBOOK COM A HASHTAG **#EUSOUGV**

UM POVO DIVIDIDO É UM POVO FRACO

Rico que se acha superior ao pobre é tão repugnante quanto o pobre que se acha mais digno que o rico pelo simples fato de ser pobre. O que define uma pessoa não é sua conta bancária, e sim seu caráter.

Qualquer discurso diferente desse é conversa manjada para conseguir votos e colocar uma classe contra a outra a fim de aumentar a força de determinados grupos políticos sobre as grandes massas.

Quanto mais as classes brigam entre si, sejam pobres e ricos, homens e mulheres, héteros e gays, teístas e ateístas, negros e brancos, mais fraca se torna a população diante de um sistema comandado por meia dúzia de caciques obcecados pelo poder.

Um povo dividido é um povo fraco. "O povo unido jamais será vencido."

Mas quem é o povo?
O rico, o pobre, o gay, o negro, o branco, o ateu, o crente ou qualquer brasileiro filiado ou não a partidos políticos. Todos são igualmente povo e não deve haver grupo privilegiado.

E quem não é o povo?
Quem está no poder. Esses, na realidade, são os empregados do povo. O papel deles é o de servir a população e não o de serem servidos.

INSIGHT

GANHE DINHEIRO, MAS NÃO PERCA O CORAÇÃO

O dinheiro compra a melhor cama do mundo, mas não compra o sono. Compra o melhor plano de saúde, mas não compra a cura de uma doença terminal. Compra um arsenal de guerra poderoso, mas não compra a paz. Compra uma mansão, mas não compra um lar. Ter dinheiro é bom e quem disser que não é está mentindo.

Mas, definitivamente, não é tudo.

Quem é que gosta de andar num trem lotado, todo amassado? Quem é que gosta de não ter condições de comprar algo de que precise? Ou de olhar para os filhos e não poder dar a eles condições de competirem de igual para igual com crianças de sua idade? Hipócrita é quem diz que dinheiro não é bom.

Mas iludido é quem bate no peito e fala: "Dinheiro traz felicidade." Segundo números da Organização Mundial da Saúde, os campeões da depressão são os países ricos: 21% da população da França, 19,2% da população dos Estados Unidos e 17,9% da população da Holanda tiveram pelo menos um episódio de depressão na vida. Todos os países citados possuem alta renda per capita e são considerados desenvolvidos.

Conheço os dois lados da moeda e posso confirmar essa estatística, por ter me relacionado e ainda me relacionar com muitas pessoas simples que, apesar de todas as dificuldades, estão sempre sorridentes, alegres e felizes. Por outro lado, já vi muita gente rica vivendo à base de antidepressivos, com a conta bancária gordinha, mas com o coração vazio e solitário.

Nem a riqueza, nem a pobreza podem ser rotuladas como geradores de felicidade ou infelicidade. Feliz é aquele que está rodeado de pessoas que ama, de amigos sinceros e de um propósito que lhe dará motivação todas as manhãs quando acordar.

> *No último dia de sua vida, se você pudesse escolher quem estaria ao seu lado, certamente não seria seu gerente do banco, nem os puxa-sacos de plantão.*

Dinheiro compra momentos alegres, mas não felicidade. Compra água mineral francesa e garrafas de vinho de R$ 50 mil, mas não é capaz de matar a sede de justiça, de amor e de significado.

O GV acredita numa nova geração de homens e mulheres prósperos que considerem que pessoas valem mais do que coisas e que saibam usar o dinheiro com responsabilidade, em vez de serem manipulados pelo consumismo.

No último dia de sua vida, se você pudesse escolher quem estaria ao seu lado, certamente não seria seu gerente do banco, nem os puxa-sacos de plantão. Você também não faria questão de estar cercado de todos os seus diplomas, títulos e conquistas. Nesse dia, se fosse possível, você certamente preferiria estar ao lado das pessoas mais importantes de sua vida.

Como conciliar esse aparente paradoxo? Sempre pensei que cada projeto que realizei nos últimos 20 anos – as horas que trabalhei e as incontáveis viagens de negócios que fiz – foi com a finalidade de proporcionar aos que amo o melhor, ainda que soubesse que a minha presença é fundamental para todos. Assim, estive muito presente até durante minha ausência física, ao contrário dos que chegam cedo em casa, mas passam o tempo na frente da TV.

Envolva sua família em seus projetos, ainda que eles não trabalhem com você. Assim, quando você viajar ou trabalhar num fim de semana, eles também estarão ao seu lado onde quer que estejam à sua espera. Viajarão sem sair de casa, porque se sentirão parte de seus projetos e não meros apoiadores de seus sonhos. Serão donos deles juntamente com você.

Não trabalhe por dinheiro. Pessoas valem mais do que coisas. No meio de tudo isso, o dinheiro será conquistado na medida de sua competência em produzir e empreender. Quando o dinheiro chegar, desfrute-o, faça-o trabalhar para você em vez de se tornar seu escravo.

Desfrute suas conquistas com a família, principalmente com a pessoa que sempre esteve ao seu lado o apoiando, em vez de trocá-la aos 40 anos de idade por duas mulheres de 20 – o que, infelizmente, tem se tornado cada vez mais comum (pode chorar à vontade se não gostou).

Certamente, no dia de nosso velório, os que de fato venceram na vida, sejam eles pobres ou ricos, serão aqueles que deixarão saudades e não os que vão deixar filhos problemáticos que passaram toda a vida sendo órfãos de pais vivos, porque, em casos assim, com dinheiro ou sem dinheiro, mais um miserável será enterrado e esquecido.

INSIGHT

LIGUE OS PONTOS

eu amo ● ● coisas

eu uso ● ● pessoas

Use coisas.
Ame pessoas.
O contrário, apesar
de comum, é uma
aberração.

LÍDER

A IMPORTÂNCIA DA PRESENÇA

Ouvi há algum tempo uma história de um executivo que durante dois meses, enquanto se dedicava a um projeto, saía de casa antes de seu filho acordar e geralmente voltava quando ele estava dormindo. Claro que esta não é uma situação ideal, mas necessária num determinado período de tempo.

À noite, antes de dormir, todos os dias o executivo ia até o quarto do filho e lhe dava um beijo, além de ficar por alguns minutos olhando para ele enquanto dormia. Quando o menino acordava pela manhã, percebia que havia um nó na ponta de seu travesseiro e aquele código significava que o seu pai tinha estado com ele durante a noite. Ele saía para a escola certo da presença de seu pai, apesar de sua distância geográfica.

Por outro lado, muitos pais chegam em casa no fim da tarde, depois de um expediente convencional, convivem com a família no mesmo espaço físico, mas – no entanto – sua mente e seu coração permanecem em outro lugar.

Esse mesmo princípio se aplica na gestão de empresas. Na era da informação e da tecnologia, será cada vez mais comum os escritórios convencionais serem substituídos por escritórios virtuais ou home offices. Em meu caso, por exemplo, o período em que minha empresa mais cresceu foi quando me mudei para os Estados Unidos, deixando a cargo de meus executivos a responsabilidade de tocarem, sob minha liderança, o dia a dia da companhia.

Isso porque estar presente é muito mais do que simplesmente estar perto, da mesma forma que estar longe não significa estar ausente.

MEU PROJETO

NOSSO PROJETO

SEU EMPREGO PODE ESTAR COM OS DIAS CONTADOS

Com a invenção do carro, em poucos anos, os cavalos ficaram desempregados. Talvez você ainda não tenha percebido, mas os empregos estão acabando e, em não mais do que duas décadas, é possível que metade dos bons empregos de hoje simplesmente não exista mais.

MOTIVO? ROBÔS.

Acha que isso é assunto de filmes de ficção? Não. Neste momento, muitas funções que há décadas eram executadas por humanos já são efetuadas por máquinas ou por softwares.

E qual é a tendência? De acordo com Federico Pistono, autor de Robots Will Steal Your Job, But That's OK (Robôs vão roubar seu emprego, mas tudo bem), 50% dos postos de trabalho hoje conhecidos serão ocupados por robôs. Por que os robôs ocupariam esses postos de trabalho? Simples, eles se tornarão mais baratos, trabalharão 24 horas por dia e, o principal, errarão muito menos do que você.

"Flávio, como você pode afirmar que isso vai acontecer?" Não, amigo, já vem acontecendo nas últimas décadas. Estou apenas dizendo que a velocidade tem aumentado e vai aumentar ainda mais, pois a tecnologia evolui a

passos largos, e, por isso, robôs são capazes de realizar com mais eficiência tarefas que antes apenas os humanos eram capazes de executar, em todas as áreas, como transporte, atendimento ao cliente, medicina, direito, etc.

Não estou afirmando que isso seja bom. Estou dizendo que é inevitável. Digo também que representa uma enorme oportunidade para os empreendedores deste novo mundo. Gente que não se acomoda, não tem medo de mudanças e deseja conquistar seu lugar no mundo.

Achou loucura? Não seja surpreendido pela história. Anteveja e largue na frente. O mundo em que vivemos hoje é bem diferente daquele em que nascemos ou mesmo do de 10 anos atrás. Por analogia, acredito que ele esteja absolutamente obsoleto em relação ao que nos espera no futuro.

Seja este um cenário melhor ou pior, quero continuar me divertindo e empreendendo. A propósito, sugiro que você faça o mesmo e, de preferência, comece já. Uma das coisas que também quero fazer no futuro é criar uma ONG para ajudar os que não foram capazes de se adaptar a essa nova realidade. Talvez este seja o futuro do GV. **Prepare-se. O emprego já era!**

NO MEIO DOS DESAFIOS PODEMOS ENCONTRAR MUITA COISA BOA. COMPLETE AS PALAVRAS CRUZADAS E CONFIRA.

1 – É simbolizada pela coruja.
2 – Resultado de se fazer muitas vezes a mesma coisa.
3 – Ao se desenvolver por completo, você adquire...
4 – Sentimento de certeza, segurança e tranquilidade.
5 – Efeito de ter conhecimento de alguma coisa.
6 – Circunstância favorável para que algo aconteça.
7 – Aumentar gradativamente.

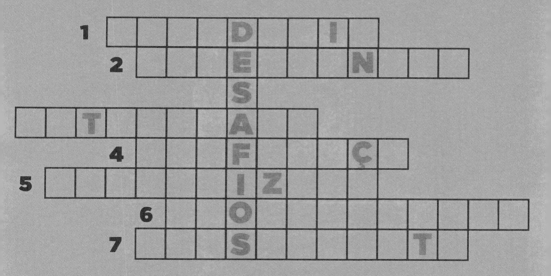

VIU SÓ? AGORA ENCARE SEUS DESAFIOS SEM MEDO DE CRESCER.

Resposta: 1 - Sabedoria, 2 - Experiência, 3 - Maturidade, 4 - Confiança, 5 - Aprendizado, 6 - Oportunidade, 7 - Crescimento

O QUE EU PREFIRO

Prefiro

O LEAL
ao talentoso.

O INTUITIVO
ao tecnocrata.

O SINCERO
ao politicamente correto.

O INTROSPECTIVO PRODUTIVO
ao popular desfocado.

O QUE ERRA
ao que tem medo de tentar.

PREFIRO O QUE AMA APRENDER,
O QUE QUER ABSORVER O CONHECIMENTO DE QUEM SABE MAIS E O QUE PERGUNTA SEM MEDO DE PARECER IGNORANTE.

DISSERAM MUITAS COISAS PRA ELE.
MAS ERA TUDO MENTIRINHA

DISSERAM PRA ELE QUE AS COISAS DEVERIAM SER EXATAMENTE DO JEITINHO QUE SÃO E PONTO FINAL. ELE ACREDITOU, NÃO QUESTIONOU E APENAS SEGUIU A BOIADA.

Disseram pra ele que trabalhar era algo abominável, um mal necessário e um castigo. Disseram que existiriam dias intermináveis, nos quais o tempo pareceria nunca passar para que enfim cessasse o martírio de mais um expediente. Ele acreditou, não questionou e apenas seguiu a boiada.

Disseram pra ele que o diploma era algo tão importante que ele deveria, a todo custo, ainda que sem projeto, propósito ou vocação, cursar qualquer faculdade, não importasse em qual área, para deixar sua família muito orgulhosa. Além disso, disseram pra ele que as festinhas regadas a bebida e maconha o tornariam parte de uma elite intelectual e descolada de nosso país careta e analfabeto e que um diploma pendurado na parede seria um grande diferencial, necessário e suficiente para o seu sucesso. Ele acreditou, não questionou e apenas seguiu a boiada.

Disseram pra ele que empreender e correr riscos era algo abominável, que um emprego com estabilidade era o máximo e que todos os que acreditassem ser possível construir um projeto grandioso seriam considerados sonhadores alienados, bitolados, pobres coitados, dignos de pena e alvo de muitas gargalhadas em rodas de amigos. Garantiram a ele que esses sonhadores desajustados sempre acabariam explorados pelo sistema inescrupuloso e insaciável. Ele acreditou, não questionou e apenas seguiu a boiada.

Disseram pra ele que horário de trabalho que se preza é, no máximo, de 9h às 18h, mas seria melhor trabalhar em meio expediente, de segunda a sexta, porque o fim de semana era para assistir a programas de auditório na TV, lavar minuciosamente o carro pago em 60 prestações, com o som tocando bem alto, depois seguir para um churrasco na laje e, no fim do domingo, começar a se lamentar nas redes sociais porque a segunda-feira já está chegando. Ele acreditou, não questionou e apenas seguiu a boiada.

Disseram pra ele que a casa própria, paga em 30 anos, financiada por um banco do governo, era sinal de status e segurança, ainda que no final os juros fizessem o valor original da casa aumentar mais de três vezes e que isso acabasse prendendo-o a uma cidade, tirando-lhe a mobilidade necessária para aceitar um desafio profissional ou negócios em outro estado ou país. Ele acreditou, não questionou e apenas seguiu a boiada.

Disseram pra ele que quem nasce pobre morre pobre, que existiam cartas marcadas, que prosperava SOMENTE quem se envolvesse em algo ilícito, quem se tornasse jogador de futebol ou quem ganhasse na Mega-Sena. Disseram que quem não tivesse capital morreria com suas ideias debaixo do braço e que NADA poderia ser feito para mudar essa situação. Também disseram pra ele que, na dúvida, seria melhor acreditar em tudo o que estava sendo dito pra ele, para que no mínimo esta prerrogativa pudesse ser usada como consolo para sua frustração no futuro. Também disseram pra ele, em todas as rádios e todos os programas de TV, que a melhor filosofia seria a do "Deixa a vida me levar...". Ele acreditou, não questionou e apenas seguiu a boiada.

Disseram pra ele muitas outras coisas, como "mais vale o certo do que o duvidoso", que rico é tudo safado, que pobreza é uma virtude, que o Brasil é um país que não tem jeito, que o valor do jovem é muito pequeno por ele não ter experiência. Disseram pra ele de forma enfática: as coisas são desse jeitinho há séculos, ponto final e não se discute mais. Infelizmente ele acreditou, não questionou e apenas seguiu a boiada.

Só não disseram pra ele que sucesso é uma ciência exata que todos podem aprender. Também não disseram pra ele que não questionar e apenas seguir a boiada vai fazê-lo passar pela vida realizando muito pouco, o que o tornará apenas mais um numa imensa multidão. Também esqueceram de lhe dizer que o seu valor era enorme e que, independentemente de sua origem, ele poderia transformar a sua realidade, mudar o mundo e influenciar todos ao seu redor.

Esconderam dele que, segundo o Banco Central, nos últimos anos, a cada 10 minutos, surge um novo empreendedor milionário no Brasil, que a economia do país é alvo de bilhões de dólares em investimentos internacionais e que, apesar de todos os problemas sociais e políticos, o Brasil se tornou a sétima economia do mundo e um dos principais mercados onde se empreender.

Esqueceram de lhe dizer que a maioria dos que ganham na loteria empobrece poucos anos mais tarde, que a MÉDIA salarial de um jogador de futebol é menor do que a de um professor, que as subcelebridades dos reality shows têm uma fama efêmera e logo caem no ostracismo e que é preciso escolher melhor os referenciais a serem seguidos.

Que pena que não disseram tudo isso pra ele. Assim, ele terminou sua vida acreditando nisso tudo e enterrado num cemitério juntamente com todos os seus projetos, sem ter desfrutado de suas conquistas ao lado da família nem deixado um legado para as próximas gerações. Um grande desperdício...

PARA VOCÊ ENFRENTAR A TIMIDEZ

Você é tímido? Pesquisas estimam que 80% dos integrantes da nova geração se consideram limitados por sua timidez. Bem, se esse é o seu caso, tenho algumas considerações para você:

1. Não há nada de negativo em se considerar tímido. O problema é se tornar alguém controlado pela timidez.

2. Deixe de lado a síndrome de Gabriela: "Eu nasci assim, eu cresci assim, vou ser sempre assim…" Não se conforme com suas limitações e busque evolução.

3. Eu também sou tímido. Essa informação geralmente causa surpresa pelo fato de eu ter me tornado muito comunicativo e ter desenvolvido a habilidade de falar em público com facilidade.

Desenvolver essa consciência é o primeiro passo para vencer a timidez. Estar disposto a enfrentá-la e não se render aos limites impostos por ela será um grande treinamento.

> ENCARE DE FRENTE A TIMIDEZ E NÃO ACEITE SER CONTROLADO E LIMITADO POR ELA.

INSIGHT

ENCARAR A TIMIDEZ NÃO É FÁCIL, MAS É NECESSÁRIO.

SEU MEDO TEM O TAMANHO QUE VOCÊ DÁ A ELE.

Gosto de jovens

O contato com eles
me deixa menos velho.

Gosto de velhos

O contato com eles
me deixa mais jovem.

Gosto de crianças

O contato com elas
me deixa igual a elas.

Os vencedores são meio otários.

Eles sonham e trabalham bastante.

Por isso, geralmente são tachados de explorados por seus "amigos".

Os fracassados é que são os espertos, pois estão sempre em busca daquilo que eles consideram ser o caminho mais fácil.
Mas, no final das contas, nunca saem do lugar.

F _ _ F _ _ C _ _

Estar cercado de pessoas que têm um forte compromisso com a verdade a ponto de se disporem a correr qualquer risco ao lhe dizerem que você está errado é um privilégio de que você jamais deve abrir mão.

O orgulhoso faz de tudo para manter por perto indivíduos bem diferentes desses, que sempre vão garantir os aplausos em sua marcha presunçosa em direção ao precipício.

NÃO TEM NENHUM BOM EXEMPLO A SEGUIR EM SUA FAMÍLIA?

SEJA VOCÊ O BOM EXEMPLO QUE VAI MUDAR A HISTÓRIA DE SEUS DESCENDENTES.

A GANÂNCIA DESTRÓI BOAS INTENÇÕES.

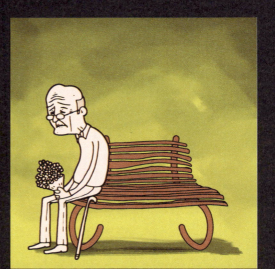

OS 10 MO MAIS FI VO N

1. TER SIDO TREINADO DESDE CEDO, NA ESCOLA E NA UNIVERSIDADE, PARA **ARRUMAR UM EMPREGO.**

2. MEDO DO DESCONHECIDO.

3. NÃO ABRIR MÃO DA VIDA CORPORATIVA POR UM SUPOSTO STATUS, MESMO SE SENTINDO UM PEIXE FORA D'ÁGUA.

4. DESCONHECER O SENTIMENTO DE REALIZAÇÃO QUE UM EMPREENDEDOR TEM AO CONSTRUIR O PRÓPRIO FUTURO SEM DEPENDER DE TERCEIROS.

5. DESENCORAJAMENTO POR PARTE DA FAMÍLIA E INFLUÊNCIA DOS AMIGOS QUE SEGUEM O PADRÃO CONVENCIONAL
> FACULDADE > EMPREGO > APOSENTADORIA.

...TIVOS ...QUENTES PARA ...Ê NÃO TER SEU ...EGÓCIO

6. ACHAR MUITO COMPLICADO BUSCAR AS INFORMAÇÕES NECESSÁRIAS.

7. FALTA DE DISPOSIÇÃO E DE INICIATIVA PARA APRESENTAR SUA IDEIA A CENTENAS DE PESSOAS ATÉ QUE CONSIGA O CAPITAL NECESSÁRIO DE MODO A INICIAR O NEGÓCIO.

8. OPTAR PELA ESTABILIDADE MESMO GANHANDO MENOS.

9. CONVENCER-SE DE QUE NÃO TEM VOCAÇÃO PARA SER O PRÓPRIO PATRÃO.

10. TER UM MEDO DE PERDER MAIOR DO QUE A VONTADE DE GANHAR.

QUANDO TIRARAM O CHÃO DELE, DESCOBRIU QUE PODIA VOAR.

DE QUEM É A RESPONSABILIDADE POR MUDAR SUA VIDA?

UM GOVERNO PODE ATÉ, ATRAVÉS DE SUAS POLÍTICAS, MELHORAR E FACILITAR SUA VIDA. NO ENTANTO, SOMENTE VOCÊ, COM SUA INICIATIVA, SEU PROTAGONISMO, SEU TRABALHO DURO E SEU INVESTIMENTO NA CARREIRA OU NO PROJETO QUE ESCOLHER, É CAPAZ DE MUDAR SUA REALIDADE.

Fazer você acreditar que sua vida poderá ser MUDADA por um governo, seja ele qual for, é a melhor forma de confiná-lo num aquário eleitoral no qual sofrerá estupros de quatro em quatro anos até se decepcionar pela mentira na qual acreditou.

O pior governo que pode existir é o que, com seus discursos persuasivos, subestima a inteligência da população; é o que sequestra seu protagonismo e que não hesita em se gabar do pouco que cumpre de suas obrigações a fim de manipular a população em troca da perpetuidade de seu emprego público.

sem paz os sonhos

evaporate

SONHOS.
O COMBUSTÍVEL NECESSÁRIO PARA A REALIZAÇÃO

É de Albert Einstein a conhecida citação: "A imaginação é mais importante que o conhecimento."

Agora, considerem que essa afirmação foi feita por uma das mentes mais brilhantes já conhecidas na humanidade. Se dermos todo crédito a Einstein, o que dizer sobre o sistema de ensino que não valoriza a imaginação ao mesmo tempo que despeja informações sobre seus alunos? Sentados em posição passiva, em vez de produzirem como protagonistas, estudantes treinam para agir com resignação, e só lhes resta correr atrás da média numa prova que na maioria das vezes dependerá apenas de memorização da matéria, frequentemente esquecida logo na sequência.

O poder de imaginar é o que nos dá o poder de sonhar. Enquanto dormimos, sonhamos de forma involuntária, resultado do que nosso cérebro produz com a combinação de inputs que recebeu ao longo do tempo. E sonhar acordado, como resultado de nossa iniciativa, é uma capacidade fantástica que temos, mas que não foi estimulada nem treinada desde que nascemos. Inclusive, muitos são tachados de lunáticos e desencorajados quando manifestam a intenção de colocar a cabeça pra fora da caixa na qual foram adestrados.

Ainda lembro muito bem, no ano de 1993, quando roubaram meu carro. Eu tinha 21 anos de idade, já era recém-casado e morava na Venezuela, para onde fui transferido a fim de implantar uma filial da empresa em que trabalhava na ocasião. Aquele carro era meu único patrimônio. No dia seguinte ao roubo, o escritório onde trabalhávamos também foi assaltado. Quando cheguei ao local, havia um bilhete desencorajador em cima de minha mesa: "Ustedes no podrán con nosotros", que significa algo parecido com: "Vocês não serão capazes de nos superar." Tudo indicava que era uma ação criminosa da concorrência para intimidar um jovem estrangeiro de prosperar naquele país.

Triste e preocupado com aquele cenário, recebi a ligação do Mário Magalhães, proprietário e diretor da empresa, que logo ficou sabendo do ocorrido e dos prejuízos que sofrera. Na ligação, procurei transmitir minha indignação com o fato e minha solidariedade em relação a toda aquela perda. Mário me disse assim: "Flávio, preste muita atenção no que vou lhe dizer.

Sei que é uma situação lamentável e que o afeta bastante. Porém, quero que saiba que eles podem roubar o seu carro, o nosso escritório, podem fazer ameaças e até nos causar algum prejuízo. No entanto, eles não têm o poder de roubar os seus sonhos, que fizeram você deixar o seu país, a sua família, e assumir esta missão. Eles só terão o poder de roubar os seus sonhos se você permitir. Eu confio em você e sei que é capaz de reverter o quadro que estamos vivendo neste momento."

Apesar de ser uma mensagem simples, eu precisava ouvir aquilo. Naquele momento, o que era uma tragédia passou a ser a razão para eu me superar. Foi assim que reagi e fui bem-sucedido naquele país antes de retornar ao Brasil.

Muitas vezes as adversidades diárias atuam como ladrões de nossos sonhos, fazendo com que nos esqueçamos de nossos objetivos e passemos a nos preocupar mais com as perdas do que com aquilo que nos cativou e nos motivou. Na realidade, essa mudança de foco faz com que deixemos de lado os nossos sonhos e passemos a nos sintonizar com o pesadelo criado pelas circunstâncias. Em casos assim, as circunstâncias passam a dar as cartas, e somos levados pelo vento de um lado para outro. Em contrapartida, quando somos conduzidos pelos próprios sonhos, ficamos com as mãos firmes sobre o leme, no comando da embarcação em meio a qualquer tempestade.

Ao assumirmos o controle das emoções e do roteiro de nossos sonhos, produzindo acordados através de nossa imaginação, permanecemos inabaláveis para seguir adiante.

Os sonhos são o combustível necessário para que ocorram grandes realizações em nossa vida.

COMECE AGORA A ESCREVER A SUA PRÓPRIA HISTÓRIA...

AGRADECIMENTOS

Agradeço muito a minha família pelo apoio que tenho recebido e muito mais por estarem juntos comigo em cada etapa da construção de nossa história de vida. Um agradecimento carinhoso à minha linda esposa Luciana pela dedicação e pela sensatez com que atua ao meu lado em todos os nossos empreendimentos, em especial o principal deles, a nossa família. Agradeço aos meus filhos, Brenno, Bernardo e Benjamim, por serem amigos muito especiais, meninos de valor e determinados a escreverem a própria história. E também ao meu pai, pelo exemplo de homem correto e comprometido com seus ideais; a minha mãe, pelo seu dinamismo, sua liderança e sua humanidade, que sempre serviram de base para eu criar meu estilo de gestão; e à minha avozinha, que é a pessoa mais carinhosa e sorridente que eu conheço.

QUER SABER E SER MAIS?

Se você deseja receber materiais exclusivos
sobre esse livro, envie um email para
geracaodevalor@buzzeditora.com.br.

Além de fazer parte da comunidade dos leitores GV, você terá
exclusividade de acesso a alguns conteúdos.

INFORMAÇÕES SOBRE A BUZZ

facebook.com/buzzeditora

twitter.com/buzzeditora

instagram.com/buzzeditora

geracaodevalor@buzzeditora.com.br